1580242614

中华人民共和国国家标准

有色金属加工机械安装工程
施工与质量验收规范

Code for construction and acceptance of nonferrous metals
processing mechanical installation engineering

GB 51059-2014

主编部门：中国有色金属工业协会
批准部门：中华人民共和国住房和城乡建设部
施行日期：2 0 1 5 年 8 月 1 日

中国计划出版社

2014 北 京

中华人民共和国国家标准
有色金属加工机械安装工程
施工与质量验收规范
GB 51059-2014

☆

中国计划出版社出版
网址：www.jhpress.com
地址：北京市西城区木樨地北里甲11号国宏大厦C座3层
邮政编码：100038　电话：(010) 63906433（发行部）
新华书店北京发行所发行
北京市科星印刷有限责任公司印刷

850mm×1168mm　1/32　3.5印张　89千字
2015年5月第1版　2015年5月第1次印刷

☆

统一书号：1580242·614
定价：21.00元

版权所有　侵权必究

侵权举报电话：(010) 63906404
如有印装质量问题，请寄本社出版部调换

中华人民共和国住房和城乡建设部公告

第 624 号

住房城乡建设部关于发布国家标准《有色金属加工机械安装工程施工与质量验收规范》的公告

现批准《有色金属加工机械安装工程施工与质量验收规范》为国家标准，编号为 GB 51059—2014，自 2015 年 8 月 1 日起实施。其中，第 2.0.5、2.0.10、2.0.13、12.1.8 条为强制性条文，必须严格执行。

本规范由我部标准定额研究所组织中国计划出版社出版发行。

中华人民共和国住房和城乡建设部
2014 年 12 月 2 日

前　言

本规范是根据住房和城乡建设部《关于印发〈2009年工程建设标准规范制订、修订计划〉的通知》(建标〔2009〕88号)的要求,由中国有色工程有限公司、中国十五冶金建设集团有限公司会同有关单位共同编制完成的。

本规范在编制过程中,编制组进行了调查研究,总结了多年来有色金属加工机械安装工程施工与质量验收的实践经验,并广泛征求了有关设计、施工、生产等单位的意见,对规范条文反复讨论修改,最后经审查定稿。

本规范共分12章,主要内容包括总则,基本规定,设备基础、地脚螺栓和垫板,设备和材料进场,熔铸设备,轧机主机列设备,挤压设备,精整设备,开卷、卷取设备,退火、加热设备,其他设备,无负荷试运行。

本规范中以黑体字标志的条文为强制性条文,必须严格执行。

本规范由住房和城乡建设部负责管理和对强制性条文的解释,由中国有色金属工业工程建设标准规范管理处负责日常管理,由中国十五冶金建设集团有限公司负责具体技术内容的解释。本规范在执行过程中,请各单位结合工程实践,认真总结经验,积累资料,如有意见和建议请反馈给中国十五冶金建设集团有限公司(地址:湖北省武汉市东湖开发区高新大道788号,邮政编码:430075),以便今后修订时参考。

本规范主编单位、参编单位、主要起草人和主要审查人:

主 编 单 位:中国有色工程有限公司
　　　　　　　中国十五冶金建设集团有限公司
参 编 单 位:中色科技股份有限公司

中国有色金属工业第六冶金建设有限公司
七冶建设有限责任公司
主要起草人：马文洲　喻振贤　李　汇　黄美程　田雨华
　　　　　　　张有为　樊　勇　郑国忠　张　黎　张晨光
　　　　　　　赵　明　赵景申　宋德周　张劲松　张建伟
　　　　　　　聂玉栋
主要审查人：江　嵩　余学德　王延伶　王　珊　刘风琴
　　　　　　　周建平　尹太新　王　平　涂厚银

目 次

1 总 则 ……………………………………………… （ 1 ）
2 基本规定 ………………………………………… （ 2 ）
3 设备基础、地脚螺栓和垫板 …………………… （ 4 ）
　3.1 安装 ………………………………………… （ 4 ）
　3.2 质量验收 …………………………………… （ 4 ）
4 设备和材料进场 ………………………………… （ 6 ）
　4.1 一般规定 …………………………………… （ 6 ）
　4.2 设备进场验收 ……………………………… （ 6 ）
　4.3 材料进场验收 ……………………………… （ 7 ）
5 熔铸设备 ………………………………………… （ 8 ）
　5.1 倾动式熔炼炉 ……………………………… （ 8 ）
　5.2 竖炉 ………………………………………… （11）
　5.3 感应炉 ……………………………………… （13）
　5.4 倾动式保温炉 ……………………………… （15）
　5.5 铸轧机 ……………………………………… （16）
　5.6 水平连铸机 ………………………………… （18）
6 轧机主机列设备 ………………………………… （20）
　6.1 轧机底座 …………………………………… （20）
　6.2 轧机机架 …………………………………… （23）
　6.3 轧辊调整装置 ……………………………… （26）
　6.4 轧机主传动装置 …………………………… （27）
　6.5 轧机换辊装置 ……………………………… （30）
　6.6 辊系 ………………………………………… （32）
7 挤压设备 ………………………………………… （33）

7.1 挤压机主机 …………………………………………………… (33)
7.2 挤压机辅机 …………………………………………………… (36)
8 精整设备 ………………………………………………………… (38)
8.1 辊式薄板矫直机 ……………………………………………… (38)
8.2 管材矫直机 …………………………………………………… (39)
8.3 拉弯矫直机 …………………………………………………… (40)
8.4 分卷机、合卷机 ……………………………………………… (41)
8.5 圆盘拉伸机 …………………………………………………… (42)
8.6 清洗机 ………………………………………………………… (43)
8.7 涂层机 ………………………………………………………… (44)
9 开卷、卷取设备 ………………………………………………… (47)
9.1 主机设备 ……………………………………………………… (47)
9.2 辅机设备 ……………………………………………………… (48)
10 退火、加热设备 ………………………………………………… (50)
10.1 退火炉 ……………………………………………………… (50)
10.2 步进式加热炉 ……………………………………………… (53)
10.3 立推加热炉 ………………………………………………… (57)
11 其他设备 ………………………………………………………… (59)
11.1 轧机辅助设备 ……………………………………………… (59)
11.2 运输辊道 …………………………………………………… (63)
11.3 铡刀剪 ……………………………………………………… (66)
11.4 圆盘剪 ……………………………………………………… (67)
11.5 碎边剪 ……………………………………………………… (69)
11.6 废边卷取机 ………………………………………………… (69)
11.7 计量包装设备 ……………………………………………… (70)
12 无负荷试运行 …………………………………………………… (71)
12.1 一般规定 …………………………………………………… (71)
12.2 主要设备试运行 …………………………………………… (72)
12.3 质量验收 …………………………………………………… (76)

本规范用词说明 …………………………………………（ 77 ）
引用标准名录 ……………………………………………（ 78 ）
附：条文说明 ……………………………………………（ 79 ）

Contents

1 General provisions ··· (1)
2 Basic requirement ··· (2)
3 Foundation, anchor bolt and subplate ························· (4)
   3.1 Installation ·· (4)
   3.2 Quality acceptance ··· (4)
4 Machines and materials entrance ································ (6)
   4.1 General requirement ·· (6)
   4.2 Acceptance of equipments entrance ························· (6)
   4.3 Acceptance of materials entrance ···························· (7)
5 Melting and casting machines ···································· (8)
   5.1 Tilting furnace ·· (8)
   5.2 Vertical furnace ·· (11)
   5.3 Induction furnace ·· (13)
   5.4 Tilting holding furnace ··· (15)
   5.5 Continous roll caster ·· (16)
   5.6 Horizontal continuous casting line ··························· (18)
6 Main mill equipments ·· (20)
   6.1 Base frame of mill ··· (20)
   6.2 Mill stands ··· (23)
   6.3 Mill rolls adjusting equipment ································ (26)
   6.4 Mill main drive equipment ···································· (27)
   6.5 Mill rolls change equipment ·································· (30)
   6.6 Mill rolls ·· (32)

7 Extrusion machine (33)
7.1 Main extrusion equipment (33)
7.2 Auxiliary extrusion equipment (36)
8 Finishing machines (38)
8.1 Roller sheet straightening machine (38)
8.2 Tube straightening machine (39)
8.3 Bending and straightening machine (40)
8.4 Foil separator and foil doubler machine (41)
8.5 Disc tensile machine (42)
8.6 Cleaning machine (43)
8.7 Coating line (44)
9 Uncoiler, recoiler equipment (47)
9.1 Main equipment (47)
9.2 Auxiliary equipment (48)
10 Annealing, heating machines (50)
10.1 Annealing furnace (50)
10.2 Walking beam type reheating furnace (53)
10.3 Push type reheating furnace (57)
11 Other machines (59)
11.1 Auxiliary equipment for rolling mill (59)
11.2 Roll table (63)
11.3 Blade shear (66)
11.4 Circle shear (67)
11.5 Scrap cutter (69)
11.6 Coiler for trimmings (69)
11.7 Measuring, packing equipment (70)
12 No-load test (71)
12.1 General requirement (71)

12.2 Main equipment commissioning	(72)
12.3 Quality acceptance	(76)
Explanation of wording in this code	(77)
List of quoted standards	(78)
Addition: Explanation of provision	(79)

1 总　　则

1.0.1 为了规范有色金属加工机械安装工程的施工与质量验收工作,提高施工水平,统一验收标准,加强过程控制,保证工程质量,制定本规范。

1.0.2 本规范适用于新建、扩建和改建的有色金属加工的熔铸、轧制、挤压、精整、开卷和卷取、退火和加热、辅助设备等安装工程的施工与质量验收。

1.0.3 有色金属加工机械安装工程的施工,应符合设计和随机技术文件的规定。

1.0.4 有色金属加工机械安装工程的施工与质量验收除应符合本规范外,尚应符合国家现行有关标准的规定。

2 基本规定

2.0.1 施工现场应有相关的施工图纸、技术标准、随机技术文件、施工组织设计和施工方案等技术文件。

2.0.2 施工与质量验收所使用的计量器具精度等级不应低于被检对象的精度等级,且应经计量检定、校准合格并在规定的周期检定有效期内。

2.0.3 设备安装过程中应进行自检、交接检和专检,并应形成检查记录。

2.0.4 设备安装中的隐蔽工程,隐蔽前应通知有关单位进行验收,并应形成隐蔽工程验收记录。

2.0.5 **设备无负荷试运行应作为主控项目检验,未进行无负荷试运行和无负荷试运行不合格的设备不得验收。**

2.0.6 设备安装工程的分项、分部工程的名称应符合现行国家标准《有色金属工业安装工程质量验收统一标准》GB 50654 的规定。

2.0.7 设备安装工程中的焊接工程施工应符合现行国家标准《现场设备、工业管道焊接工程施工规范》GB 50236 的规定。焊接工程质量验收,应符合现行国家标准《现场设备、工业管道焊接工程施工质量验收规范》GB 50683 的规定。

2.0.8 工程质量验收的程序、组织和记录填写应符合现行国家标准《有色金属工业安装工程质量验收统一标准》GB 50654 的规定。

2.0.9 当工程质量不符合相应质量标准时,应按下列要求进行处理:

1 经返工或更换构(配)件的工程,应重新进行验收。

2 经返修或加固处理的工程,且外形尺寸改变但仍能满足结构安全和使用功能的工程,可按技术方案和协商文件进行验收。

2.0.10 工程质量不符合设计和质量标准要求，且经返修或返工处理后仍不能满足安全使用功能时，严禁验收。

2.0.11 设备安装工程施工环境、职业健康安全管理应符合下列规定：

1 施工现场应建立健全环境、职业健康安全管理体系，落实环境、职业健康安全生产责任制。

2 施工前应进行危险源和环境因素的辨识和评价，对重大危险源和环境因素应制订具体可行的控制措施和应急预案。

3 施工前应进行安全技术交底，作业人员应按安全技术交底和相关安全标准施工。

4 工程完工后，应拆除临时设施，并应全面清理施工场地。

2.0.12 施工过程中的有毒有害气体和液体的贮存、运输和排放应符合环保部门的规定，各种固体废弃物应分类存放，并应回收利用和消纳。

2.0.13 起重吊装等危险性较大的工程施工前应单独编制安全专项施工方案，施工必须按安全专项施工方案实施。

3 设备基础、地脚螺栓和垫板

3.1 安 装

3.1.1 设备安装前,应进行设备基础工序交接检查验收,未经检查验收或检查验收不合格的基础,不得进行设备安装。

3.1.2 设备就位前,应按施工图并依据测量控制网绘制中心标板及标高基准点布置图,按布置图设置中心标板及标高基准点,并应测量投点。主体设备和连续生产线应埋设永久中心标板及标高基准点。

3.1.3 设计有沉降控制要求的设备基础应设置沉降观测点,并应在施工过程中进行基础沉降观测。

3.1.4 设备基础表面和地脚螺栓预留孔中的碎石、泥土、油污、积水等均应清除干净。

3.1.5 预留孔的地脚螺栓应垂直安装,任一部分离孔壁的距离应大于15mm,底端不应碰孔底;预埋地脚螺栓的螺纹和螺母应保护完好,螺纹部分应涂少量的油脂并予以保护。设备安装后,地脚螺栓的拧紧应在预留孔灌浆混凝土强度达到75%设计强度时进行。地脚螺栓终拧后,螺栓露出螺母的长度宜为螺栓直径的1/3～2/3。

3.1.6 设计技术文件对设备垫铁设置无特殊要求时,垫铁的选择和施工应符合现行国家标准《机械设备安装工程施工及验收通用规范》GB 50231 的规定。

3.2 质 量 验 收

Ⅰ 主控项目

3.2.1 设备基础强度应符合设计技术文件的规定。

检查数量:全数检查。

检验方法:检查设备基础交接资料。

3.2.2 主体设备和连续生产线应埋设永久性中心标板及标高基准点。

检查数量:全数检查。

检验方法:检查测量记录、观察检查。

3.2.3 地脚螺栓的材质、规格和紧固应符合设计技术文件的规定。

检查数量:全数检查。

检验方法:检查质量合格证明文件、紧固记录,尺量,扭矩扳手或锤击螺母检查。

Ⅱ 一 般 项 目

3.2.4 设备基础的轴线位置、标高、尺寸和地脚螺栓位置应符合设计技术文件和现行国家标准《机械设备安装工程施工及验收通用规范》GB 50231 的规定。

检查数量:全数检查。

检验方法:检查复查记录。

3.2.5 设备垫板设置应符合设计技术文件和现行国家标准《机械设备安装工程施工及验收通用规范》GB 50231 的规定。

检查数量:抽查 20%。

检验方法:观察检查、尺量、塞尺检查、轻击垫铁。

4 设备和材料进场

4.1 一般规定

4.1.1 设备和材料进场计划应按施工进度要求编制,并应按时有序进场。

4.1.2 设备安装前应进行开箱检验,并应符合下列规定:

    1 设备开箱检验应有建设、监理、施工及厂商等单位代表参加。

    2 应检查设备外观和核对设备型号规格,并应清点设备数量、随机资料、配件、备品备件及专用工器具等。

    3 设备开箱检验应形成检验记录,设备开箱后应进行防护。

    4 配件、备品备件及专用工器具应妥善保管。

4.1.3 材料进场时应验收。

4.1.4 材料进场后应分类标识、码放整齐,并应进行防护。

4.1.5 设备和材料在运输、吊装时应采取防护措施,设备吊装点应在设备或包装箱的标识位置。

4.2 设备进场验收

Ⅰ 主控项目

4.2.1 设备主机、配件、备品备件和专用工器具的型号、规格、数量、质量应符合设计和采购合同的规定。

    检查数量:全数检查。

    检验方法:根据设备出厂装箱单、质量合格证明文件、设计图纸和合同规定对照设备检查。

4.2.2 呈散件供货状态的设备应附有出厂前的预组装检查记录。

    检查数量:全数检查。

检验方法:查验预组装检查记录。

Ⅱ 一 般 项 目

4.2.3 设备和零部件的包装箱均应完好无损,裸装或半裸装的设备和零部件均应无磕碰痕迹、破损、变形或腐蚀等缺陷。

检查数量:全数检查。

检验方法:外观检查。

4.3 材料进场验收

Ⅰ 主 控 项 目

4.3.1 材料的名称、规格型号、材质、性能和质量等应符合设计技术文件、国家现行有关产品标准和合同的规定。

检查数量:质量合格证明文件全数检查。同型号、同规格的材料抽查1%,且不少于5件。

检验方法:查验质量合格证明文件,抽样检查,观察检查等。

4.3.2 对属于下列情况之一的材料应进行复验,复验结果应符合国家现行有关产品标准和设计技术文件的规定:

1 标准或设计中规定必须进行复验的材料。

2 对质量有疑义的材料。

检查数量:全数检查。

检验方法:查验复验报告。

5 熔铸设备

5.1 倾动式熔炼炉

Ⅰ 安 装

5.1.1 支承装置安装应符合下列规定：

1 托轮式支承装置安装应以托轮上表面为定位基准，鞍座式支承装置安装应以鞍座的弧形上表面为定位基准。

2 两组支承装置安装各个对应项偏差的方向宜相同，应减少相对偏差。

5.1.2 炉体钢结构安装应符合下列规定：

1 炉体钢结构安装前应对出料口、烧嘴安装口、排烟口、测温孔和测压孔的外形尺寸进行检验，与出料口部件、烧嘴、排烟管法兰和测温测压元件等装配的贴合面应平整，螺栓孔位置及尺寸应符合设计技术文件的规定。

2 炉体钢结构组装应先点焊牢固；整体对角线长度、炉膛长宽尺寸、各侧墙垂直度、出料口及烧嘴安装口等各种预留口标高、中心线位置等，应检验合格后再进行焊接。

5.1.3 倾动装置安装应符合下列规定：

1 油缸下支座地脚螺栓应紧固可靠，并应有防松装置。

2 油缸上下支座安定定位应与两油缸轴线平行。

5.1.4 炉体烧嘴、蓄热体、溜槽、加料口、烟道闸板、炉门等附件的安装应符合设计技术文件的要求。

5.1.5 燃烧系统装置安装应符合设计技术文件的规定。系统管道应无泄漏，各类阀件动作应灵活可靠。

5.1.6 排烟系统烟道闸板在行程范围内的动作应灵活可靠。

Ⅱ 主 控 项 目

5.1.7 炉体钢结构现场对接焊缝质量应符合设计技术文件的规定。当设计无规定时,应符合现行国家标准《现场设备、工业管道焊接工程施工质量验收规范》GB 50683 中焊缝质量分级Ⅱ级的规定。

检查数量:全数检查。

检验方法:外观检查、无损检测。

5.1.8 炉体烧嘴安装位置应正确,与炉体连接紧固应可靠,烧嘴进出运动应无卡阻。

检查数量:全数检查。

检验方法:尺量、外观检查。

5.1.9 炉体倾动应运行平稳,位置应准确。

检查数量:全数检查。

检验方法:运行观察。

Ⅲ 一 般 项 目

5.1.10 托轮支承装置底座安装的允许偏差应符合表 5.1.10 的规定。

检查数量:全数检查。

检验方法:见表 5.1.10。

表 5.1.10 托轮支承装置底座安装允许偏差

项次	项 目	允许偏差(mm)	检验方法
1	底座中心线与基础中心线	2.0	挂线、尺量
2	底座上表面水平度	0.15/1000	水平仪、水平尺
3	两底座对角线差	3.5	尺量
4	两底座标高	±2.0	精密水准仪
5	两底座中心线间距	±1.0	尺量
6	两底座横向中心线平行度	0.15/1000	尺量

5.1.11 托轮支承装置托轮安装的允许偏差应符合表 5.1.11 的规定。

检查数量:全数检查。

检验方法:见表5.1.11。

表5.1.11 托轮安装允许偏差

项次	项 目	允许偏差(mm)	检验方法
1	托轮中心线	0.2	挂线、尺量
2	两托轮组横向中心距	±2.0	挂线、尺量
3	托轮顶中心标高	±0.1	精密水准仪
4	托轮中心标高	±0.5	精密水准仪
5	托轮与底座接触面	>80%	塞尺

5.1.12 鞍座式支承装置鞍座安装的允许偏差应符合表5.1.12的规定。

　　检查数量:全数检查。

　　检验方法:见表5.1.12。

表5.1.12 鞍座安装允许偏差

项次	项 目	允许偏差(mm)	检验方法
1	纵、横向中心线	0.5	经纬仪
2	最低点标高	±1.0	水准仪
3	弧面对称点水平度	0.5/1000	水平尺
4	轨面横向水平度	1.0/1000	水平尺
5	两鞍座最低点高差	2.0	水准仪
6	两鞍座平行度	0.5/1000,且小于2	尺量
7	两轨对角线差	2.0	尺量

5.1.13 炉体安装的允许偏差应符合表5.1.13的规定。

　　检查数量:全数检查。

　　检验方法:见表5.1.13。

表5.1.13 炉体安装允许偏差

项次	项 目	允许偏差(mm)	检验方法
1	炉底标高	±2.0	水准仪
2	炉底中心线与基础中心线	3.0	挂线、尺量

续表 5.1.13

项次	项 目	允许偏差(mm)	检验方法
3	四侧炉墙垂直度	$H/1000$,且不大于 3.0	挂线、尺量
4	炉顶水平度	2.0/1000,且不大于 5.0	水准仪

注：H 为炉体侧墙高度。

5.1.14 倾动装置油缸上、下支座安装的允许偏差应符合表 5.1.14 的规定。

检查数量：全数检查。

检验方法：见表 5.1.14。

表 5.1.14 倾动装置油缸上、下支座安装允许偏差

项次	项 目	允许偏差(mm)	检验方法
1	轴孔纵、横向中心线	0.5	经纬仪
2	轴孔中心标高	±0.5	水准仪
3	下支座水平度	1.0/1000	水平尺

5.1.15 炉门提升机构、炉盖移动机构安装应符合设计技术文件的规定，提升或移动部件应无卡阻。

检查数量：全数检查。

检验方法：反复动作观察。

5.2 竖 炉

Ⅰ 安 装

5.2.1 竖炉安装宜采用正装法，吊装前应搭设施工操作平台，并应设置安全防护措施。

5.2.2 竖炉冷却水套部件在安装前和炉体砌筑完毕后，均应按设计技术文件的规定进行水压试验。

5.2.3 竖炉吊装过程中应确认每节炉体炉口方位正确；吊装竖炉第一节时，炉体纵、横中心线，标高和垂直度应符合设计技术文件的规定。

5.2.4 竖炉燃烧系统装置安装应符合设计技术文件的规定。系

统管道应无泄漏,各类阀件动作应灵活可靠。

5.2.5 竖炉的液压、气动及润滑系统装置安装应符合现行国家标准《冶金机械液压、润滑和气动设备工程安装验收规范》GB 50387的规定。

Ⅱ 主控项目

5.2.6 竖炉冷却水套部件在安装前和炉体砌筑完成后的水压试验应符合设计技术文件的规定。

检查数量:全数检验。

检验方法:查验试验记录。

5.2.7 每节炉体连接处的螺栓紧固力应符合设计技术文件的规定。

检查数量:每节炉体连接处,按螺栓数量10%抽检,且不少于3个。

检验方法:扭矩扳手。

5.2.8 竖炉燃烧烧嘴安装角度、位置应符合设计技术文件的规定,螺栓连接应紧固可靠。

检查数量:全数检查。

检验方法:外观检查、尺量。

Ⅲ 一般项目

5.2.9 上料系统上料架与周边钢结构的间隙应符合设计技术文件的规定,上料架轨道固定面应平整,连接处不得有错边。上料轨道安装应符合设计技术文件的规定,轨道与上料架的固定应牢固可靠,上料卷扬钢丝绳卷筒中心线与斜桥中心线应一致,提升机与基础应连接牢固。

检查数量:全数检查。

检验方法:外观检查、尺量。

5.2.10 炉体安装的允许偏差应符合表5.2.10的规定。

检查数量:全数检查。

检验方法:见表5.2.10。

表5.2.10 炉体安装允许偏差

项次	检测项目	允许偏差(mm)	检验方法
1	炉底标高	±3.0	水准仪
2	纵、横向中心线	5.0	经纬仪
3	炉体垂直度	$H/1000$,且不大于10.0	经纬仪、挂线尺量

注:H为单节炉体高度。

5.2.11 上料系统安装的允许偏差应符合表5.2.11的规定。

检查数量:全数检查。

检验方法:见表5.2.11。

表5.2.11 上料系统安装允许偏差

项次	检测项目	允许偏差(mm)	检验方法
1	轨道跨距	±2.0	拉线、尺量
2	轨道中心线对炉体中心线	5.0	经纬仪、拉线、尺量
3	轨道直线度	$L/500$,且不大于10.0	经纬仪、拉线、尺量
4	上料斜桥中心线	5.0	挂线、尺量
5	上料卷扬钢丝绳卷筒中心线	5.0	挂线、尺量

注:L为小车轨道长度。

5.3 感 应 炉

Ⅰ 安 装

5.3.1 有芯感应炉感应体安装应符合下列规定:

1 现场装配感应体应搭建用于放置倾翻90°后的感应体钢结构平台,并应设置安装防护设施。

2 外壳、熔沟模、水冷套、线圈、铁芯等感应体主要部件的装配,应与感应体耐火材料打筑及烘烤施工相互配合。应在完成耐火材料铺底后对中安装熔沟模及水冷套;应在打结完成后倾翻感应体,对中安装铁芯及线圈。

3 感应体与炉体对接应根据炉衬及感应体烘烤工艺,选择热装或冷装。热装时,应采取降低烘炉烧嘴及感应体耐火材料的温度降低速度的措施;冷装应避免剧烈振动,应平稳吊装,并应兼顾感应体烘烤烧嘴的安装位置。对接时炉体与感应体法兰面应对中,炉体与感应体法兰对接面间隙应根据隔离材料厚度选取3.0mm~8.0mm。

5.3.2 无芯感应炉安装应符合下列规定:

1 线圈与炉体中心线的距离偏差应符合随机技术文件的规定。

2 磁轭安装应根据图纸要求,用扭矩扳手调整磁轭顶丝预紧力。

5.3.3 线圈、水冷套在安装前和耐火材料打筑后,应按随机技术文件的规定进行水压试验。

Ⅱ 主控项目

5.3.4 有芯感应炉感应体对接法兰间隙、对中尺寸应符合随机技术文件的规定。

检查数量:全数检查。

检验方法:查验检查记录。

5.3.5 无芯感应炉磁轭顶丝紧固扭矩应符合随机技术文件的规定。

检查数量:全数检查。

检验方法:扭矩扳手。

5.3.6 线圈及水冷套在使用前,打筑安装后的水压试验应符合随机技术文件的规定,并应试压合格。

检查数量:全数检查。

检验方法:查验试验记录。

Ⅲ 一般项目

5.3.7 感应炉安装的允许偏差应符合表5.3.7的规定。

检查数量:全数检查。

检验方法:见表 5.3.7。

表 5.3.7 感应炉安装允许偏差

项次	检测项目	允许偏差(mm)	检验方法
1	有芯炉感应体线圈、铁芯对中	2.0	尺量
2	有芯炉感应体与炉体对中	2.0	尺量
3	无芯炉线圈对中	3.0	尺量
4	无芯炉线圈垂直度	$H/1000$,且不大于1.0	挂线

注:H 为线圈高度。

5.4 倾动式保温炉

Ⅰ 安 装

5.4.1 炉体安装应符合本规范第 5.1.1 条～第 5.1.6 条的规定。

Ⅱ 一般项目

5.4.2 炉体安装的允许偏差应符合表 5.4.2 的规定。

检查数量:全数检查。

检验方法:见表 5.4.2。

表 5.4.2 炉体安装允许偏差

项次	项 目	允许偏差(mm)	检验方法
1	炉底标高	±1.0	水准仪
2	炉底中心线与基础中心线	2.0	挂线、尺量
3	四侧炉墙垂直度	$H/1000$,且不大于3.0	挂线、尺量
4	炉顶水平度	$2.0/1000$,且不大于5.0	水准仪、尺量
5	炉体直径(圆形炉体)	$D/1500$,且不大于2.0	挂线、尺量

注:H 为矩形炉体侧墙高度,D 为圆形炉体内径。

5.4.3 倾动式保温炉支承装置安装允许偏差应符合本规范第 5.1.10 条、第 5.1.11 条的规定,倾动装置油缸上、下支座安装允许偏差应符合本规范第 5.1.14 条的规定。

5.4.4 炉体烧嘴安装位置应符合设计技术文件的规定,与炉体连接应紧固到位,烧嘴进出应无卡阻。

检查数量:全数检查。

检验方法:观察检查、尺量。

5.4.5 炉门导向轮安装应符合设计技术文件的规定,炉门装置应动作灵活,关闭严密。

检查数量:全数检查。

检验方法:观察检查、尺量。

5.4.6 进、出料口,溜槽中心标高允许偏差应为±5.0mm;纵向中心线允许偏差应为5.0mm。

检查数量:全数检查。

检验方法:挂线尺量。

5.5 铸 轧 机

Ⅰ 安 装

5.5.1 铸轧机现场安装应按出厂时预拼装印记进行定位组装。

5.5.2 机列各单体设备安装在机列线上时,应经过清洗和检查。

5.5.3 铸轧机机架应按工作时的垂直位置安装。

5.5.4 换辊轨道的对称中心线应与铸轧机机架处于垂直位置时导轨的对称中心线重合,换辊轨道和铸轧机导轨应平齐对接。

Ⅱ 一 般 项 目

5.5.5 机列各单体设备找正、找平应符合下列规定:

1 机列生产线安装标高宜以铸坯的下表面设计标高为基准,机列上所有单体设备相对于该基准的允许偏差应为±0.5mm。

2 各单体设备纵向安装中心线与机列中心线的允许偏差应为0.5mm,平行度允许偏差应为0.05/1000。

3 各单体设备安装水平度或垂直度允许偏差应为0.1/1000。

5.5.6 铸轧机底座下表面、主传动底座下表面等相对于基准点的标高,允许偏差应为±0.5mm。

5.5.7 机架处于垂直位置时,机架窗口中心线相对于铸轧机横向基准中心线的平行位移允许偏差应为0.5mm;两侧机架窗口中心线的相对位移允许偏差应为0.1/1000。

5.5.8 操作侧机架、传动侧机架的承压板下表面应在同一水平面上,机架处于垂直位置时,其水平度允许偏差应为0.1/1000。

5.5.9 主传动底座上表面的水平度允许偏差应为0.10/1000。

5.5.10 机列各设备安装的允许偏差应符合表5.5.10的规定。

检查数量:全数检查。

检验方法:见表5.5.10。

表5.5.10 机列各设备安装允许偏差

项次	项	目	允许偏差(mm)	检验方法
1		各单体设备纵、横中心线	0.5	拉线、尺量
2	轧机本体	标高	±0.5	水准仪
3		轧辊水平度	0.05/1000	水准仪
4		轧辊与机列中心线垂直度	0.05/1000	摆杆法、经纬仪
5		机架(垂直位置时)窗口垂直度	0.10/1000	拉线、尺量
6		转轴与机列中心线平行度	0.10/1000	拉线、尺量
7		转轴孔水平度	0.05/1000	水准仪
8	换辊装置	轨道标高	±0.5	水准仪
9		轨道中心线与轧辊中心线垂直时位置偏差	±0.1	经纬仪
10		轨道中心线与轧辊中心线平行度	0.10/1000	经纬仪
11		轨道水平度	0.10/1000	框式水平仪
12		两轨道平行度	0.10/1000	摆杆法、经纬仪
13	联合辅机	标高	±0.5	水准仪
14		夹送辊水平度	0.10/1000	框式水平仪
15		夹送辊与机列中心线垂直度	0.10/1000	挂线、尺量
16		偏导辊水平度	0.10/1000	框式水平仪
17		偏导辊与机列中心线垂直度	0.10/1000	挂线、尺量

5.6 水平连铸机

Ⅰ 安 装

5.6.1 机组安装时应以牵引机的下辊、双面铣床夹送辊下辊、剪切机的下刀刃、卷取机的固定弯曲辊为安装测量基准。

5.6.2 机列各单体设备安装应经过清洗和检查。

Ⅱ 主控项目

5.6.3 结晶器冷却水系统、一次冷却水系统安装或装配后,应按随机技术文件的规定进行水压试验,并应试压合格。

检查数量:全数检查。

检验方法:查验试验记录。

5.6.4 结晶器与保温炉连接应牢固,密封应严实。

检查数量:全数检查。

检验方法:查验连接固定装置和螺栓。

Ⅲ 一般项目

5.6.5 水平连铸机组安装的允许偏差应符合表5.6.5的规定。

检查数量:全数检查。

检验方法:见表5.6.5。

表5.6.5 水平连铸机组安装允许偏差

项次	项 目		允许偏差(mm)	检验方法
1	各单体纵、横中心线		0.5	经纬仪、拉线、尺量
2	结晶器	下腔面标高与牵引机前下牵引辊标高	±0.1	水准仪
3	结晶器	水平度	0.05/1000	水准仪
4	结晶器	端面与牵引机前下牵引辊平行度	0.10/1000	尺量
5	牵引机	标高	±0.5	水准仪
6	牵引机	牵引辊下辊水平度	0.05/1000	水准仪

续表 5.6.5

项次	项 目		允许偏差(mm)	检验方法
7	牵引机	牵引辊下辊与机列中心线垂直度	0.05/1000	摆杆法、经纬仪
8	双面铣床	标高	±0.5	水准仪
9		铣床轨道水平度	0.05/1000	水准仪、框式水平仪
10		两铣床轨道内侧导面相对于机组中心线平行度	0.05/1000	尺量
11		夹送辊下辊水平度	0.05/1000	框式水平仪
12		夹送辊下辊与机组中心线垂直度	0.05/1000	经纬仪
13	液压下切剪	标高	±0.5	水准仪
14		底座轨道水平度	0.05/1000	水准仪、框式水平仪
15		底座床轨道内侧导面相对于机组中心线平行度	0.05/1000	尺量
16		下剪刃水平度	0.10/1000	框式水平仪
17		下剪刃与机列中心线垂直度	0.10/1000	尺量
18	卷取机	标高	±0.5	水准仪
19		底座轨道水平度	0.05/1000	水准仪、框式水平仪
20		底座床轨道内侧导面相对于机组中心线平行度	0.05/1000	尺量
21		固定弯曲辊水平度	0.05/1000	框式水平仪
22		固定弯曲辊与机列中心线垂直度	0.05/1000	摆杆法、经纬仪

6 轧机主机列设备

6.1 轧机底座

Ⅰ 安 装

6.1.1 轧机底座水平度和标高控制应以其与机架装配的水平结合面为基准。单机架轧机底座安装应以出口侧为基准面,连轧机底座安装应以中间轧机底座为基准面。在基准面宜用水平尺、水平仪等调整底座的标高和水平度。

6.1.2 确定轧机底座的中心线位置,应以底座上的垂直加工面为定位基准,检测轧机中心线相对该加工面的平行度和两底座间平行度。

6.1.3 底座地脚螺栓紧固应在机架精密调整后进行,并应以中心线为对称轴逐个进行紧固,紧固力应达到设计值的70%~80%,并应在二次灌浆达到设计强度后完成最终紧固。

Ⅱ 主控项目

6.1.4 轧机底座地脚螺栓紧固应符合设计或随机技术文件的规定。

检查数量:全数检查。

检验方法:检查螺栓紧固记录,使用扭矩扳手复查。

Ⅲ 一般项目

6.1.5 轧机底座安装的允许偏差应符合表6.1.5的规定。

检查数量:全数检查。

检验方法:见表6.1.5。

表6.1.5 轧机底座安装允许偏差

项次	项目		允许偏差（mm）		检验方法
			Ⅰ级	Ⅱ级	
1	标高	根据基准点安装	±0.30	±0.50	水准仪
2		根据已安装设备安装	±0.10	±0.25	水准仪
3	中心线	根据主要中心线安装	0.50	1.00	挂线、尺量
4		根据已安装设备安装	0.30	0.50	挂线、尺量
5	水平度	轧机单个底座	0.05/1000	0.05/1000	水平尺、水平仪
6		同一台轧机两底座间	0.05/1000	0.10/1000	水平尺、水平仪
7		连轧机相邻轧机两底座间	0.05/1000	0.10/1000	水平尺、水平仪
8	平行度	单个底座相对中心线	0.05/1000	0.10/1000	挂线、内径千分尺
9		同一台轧机两底座间	0.05/1000	0.10/1000	内径千分尺或样棒
10		连轧机相邻轧机两底座间	0.05/1000	0.10/1000	水平尺、内径千分尺或样棒

注：1　Ⅰ级适用于高速冷轧机、箔轧机，Ⅱ级适用于热轧机。
2　单机架轧机底座测量方法见图6.1.5-1。
3　连轧机底座测量方法见图6.1.5-2。

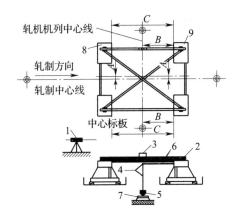

图 6.1.5-1 单机架轧机底座测量方法示意

1—精密水准仪;2—水平尺;3—水平仪;4—钢丝线;5—线锤;
6—内径千分尺;7—中心标板;8—入侧底座;9—出侧底座;
A—轧制线方向的偏移;B—横向中心线与出口侧底座内侧面之间的水平距离;
C—底座内侧面距离

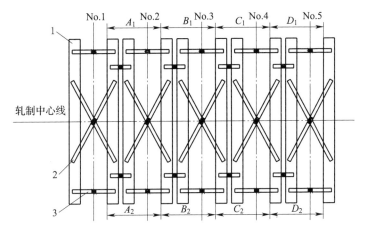

图 6.1.5-2 连轧机底座测量方法示意

1—底座;2—水平尺;3—水平仪;
A_1、B_1、C_1、D_1、A_2、B_2、C_2、D_2—相邻轧机底座相同内侧面距离

6.2 轧机机架

Ⅰ 安 装

6.2.1 轧机机架就位后应将入口侧底座向出口侧靠紧，机架与梯形轧机底座的间隙应调整到两个外侧面上或两个内侧面上，不得将间隙同时分布在一个外侧面和一个内侧面上。

6.2.2 横梁的连接螺栓紧固后，应检查横梁与机架结合面的接触间隙。连接螺栓的紧固应符合设计技术文件的规定，当设计未作要求时，应符合现行国家标准《机械设备安装工程施工及验收通用规范》GB 50231 的规定。

6.2.3 轧机机架中心线的检查应以机架窗口中心线为基准。机架窗口面垂直度、机架窗口侧面垂直度、机架窗口底面水平度、两机架窗口底面水平度、机架窗口在水平方向扭斜、两机架窗口中心线的水平偏斜、轧制中心线偏移、机列中心线偏移、连轧机组相邻两机架平行度等应符合设计技术文件的规定。

Ⅱ 主控项目

6.2.4 机架固定螺栓、机架与上横梁和下横梁连接螺栓的紧固应符合设计技术文件的规定。

检查数量：全数检查。

检验方法：检查螺栓紧固记录。

Ⅲ 一般项目

6.2.5 机架固定螺栓的安装应做到垂直、固定可靠，螺母、垫圈、底座间应接触良好，紧固后螺栓应露出螺母或与螺母齐平，外露螺纹应无损伤，螺栓拧入方向除构造原因外应一致。

检查数量：抽查 20%，且不少于 4 处。

检验方法：观察检查。

6.2.6 机架窗口滑板与机架窗口面应接触紧密，螺栓紧固力、两滑板间距、平行度应符合随机技术文件的规定。

检查数量：抽查 20%，且不少于 4 处。

检验方法:用扭矩扳手、塞尺和内径千分尺检查。

6.2.7 轧机机架安装的允许偏差应符合表 6.2.7 的规定。

检查数量:全数检查。

检验方法:见表 6.2.7。

表 6.2.7 轧机机架安装允许偏差

项次	项 目		允许偏差(mm)		检验方法
			Ⅰ级	Ⅱ级	
1	垂直度	机架窗口面	0.05/1000	0.10/1000	经纬仪、内径千分尺
2		机架窗口侧面	0.10/1000	0.15/1000	经纬仪、内径千分尺
3	水平度	窗口底面平行轧线方向	0.05/1000	0.10/1000	水平尺、水平仪
4		窗口底面垂直轧线方向	0.05/1000	0.10/1000	水平尺、水平仪
5		两机架窗口底面	0.10/1000	0.15/1000	水平尺、块规和水平仪
6		立式机架上部框架	0.10/1000	0.15/1000	水平尺、块规和水平仪
7	两机架窗口在水平方向扭斜		0.05/1000	0.10/1000	挂线、内径千分尺
8	机架中心线偏移		0.5	1.0	挂线、尺量
9	连轧机相邻两机架平行度		0.05/1000	0.10/1000	水平尺、内径千分尺
10	立式轧机机架垂直度	机架窗口面	0.10/1000	0.20/1000	经纬仪、内径千分尺
11		机架窗口侧面	0.10/1000	0.20/1000	经纬仪、内径千分尺
12	立式轧机机架水平度		0.10/1000	0.20/1000	水平尺、水平仪

续表 6.2.7

项次	项 目		允许偏差(mm)		检验方法
			Ⅰ级	Ⅱ级	
13	机架与底座接触间隙	垂直方向 A	四周 75%的边长范围内不能塞入 0.05mm 的塞尺,局部允许 0.10 间隙		0.05mm 塞尺
14		水平方向 B	四周 75%的边长范围内不能塞入 0.05mm 的塞尺,局部允许 0.10 间隙		0.05mm 塞尺
15	横梁与机架接触间隙		四周 75%的边长范围内不能塞入 0.05mm 的塞尺,局部允许 0.10 间隙		0.05mm 塞尺

注：1 Ⅰ级适用于高速冷轧机、箔轧机,Ⅱ级适用于热轧机。
2 机架窗口的水平偏移和扭斜测量方法见图 6.2.7-1。
3 机架垂直度测量方法见图 6.2.7-2。

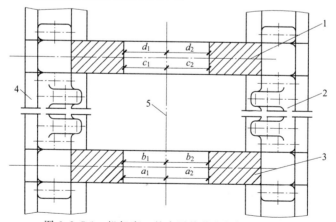

图 6.2.7-1 机架窗口的水平偏移和扭斜测量示意
1—机架；2—底座；3—机架；4—底座；5—轧机纵向中心线；
a_1、b_1、c_1、d_1、a_2、b_2、c_2、d_2—同一水平面上机架窗口内侧面与窗口中心线的水平距离

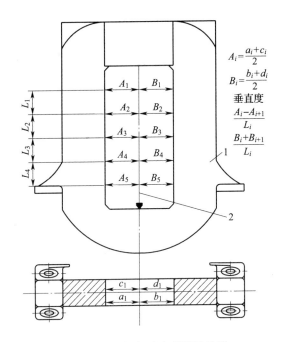

图 6.2.7-2 机架垂直度测量示意

1—机架;2—线锤;

A_i、B_i—同一水平面上机架窗口内侧面与窗口中心线的水平距离的平均值;

a_i、b_i、c_i、d_i—同一水平面上机架窗口内侧面与窗口中心线的水平距离

6.3 轧辊调整装置

Ⅰ 安 装

6.3.1 轧辊调整装置安装应在轧机底座和机架已安装定位、地脚螺栓和机架各部连接螺栓已全部紧固,检查并符合随机技术文件或现行国家有关标准的规定后进行。

Ⅱ 一般项目

6.3.2 齿轮传动和蜗轮蜗杆传动减速器的齿侧间隙、齿顶间隙、齿啮合接触面积和传动轴轴向串动量,应符合随机技术文件或现行国家标准《机械设备安装工程施工及验收通用规范》GB 50231的规定,减速器各部位密封应良好。

检查数量:抽查30%,且不少于1台。

检验方法:检查安装质量记录,用着色法、压铅法、千分表和塞尺检查。

6.3.3 联轴器装配时的两轴心径向位移、两轴线倾斜和联轴器的两端面间隙值,应符合随机技术文件或现行国家标准《机械设备安装工程施工及验收通用规范》GB 50231的规定。

检查数量:抽查30%,且不少于1套。

检验方法:检查安装质量记录,用百分表、千分块和塞尺测量。

6.3.4 横楔和纵楔调整装置的斜面接触应良好、调整灵活,操作侧和传动侧与轴承座接触面的标高应一致。

检查数量:全数检查。

检验方法:观察检查,用塞尺和水准仪检查。

6.4 轧机主传动装置

Ⅰ 安 装

6.4.1 整体到货且出厂前经过无负荷试运行验收合格的减速机、齿轮机座等,可不解体检查。

6.4.2 主减速机、齿轮机座的安装应符合随机技术文件或现行国家标准《机械设备安装工程施工及验收通用规范》GB 50231的规定,并应符合下列规定:

1 传动装置的纵向中心线应与轧机主传动中心线一致。

2 标高应在轴的上表面或机壳剖分面上测量。

3 整体安装的主减速机纵向(主传动方向)水平度,宜在两端轴颈或在指定的基准面上测量,横向水平度宜在指定的基准面上测量。解体安装的主减速机纵、横向水平度应在下机壳上平面(减速机剖分面)上测量。

4 解体到货的主减速机、齿轮机座各部应全面清洗,应对装配精度进行检查,并应合格,同时应进行隐蔽工程验收确认后再封闭。

Ⅱ 一 般 项 目

6.4.3 减速机和齿轮机座装配时,其传动齿轮的齿侧间隙、齿顶间隙、齿啮合接触面积和轴承装配及轴承轴向间隙应符合随机技术文件或现行国家标准《机械设备安装工程施工及验收通用规范》GB 50231 的规定,减速机和齿轮机座各部位应密封良好。

检查数量:抽查 30%,且不少于 1 台。

检验方法:检查安装质量记录,用着色法、压铅法、千分表和塞尺检查。

6.4.4 万向联轴器半圆滑块与叉头的虎口面或扁头平面接触应均匀,半圆滑块与扁头之间的总间隙应在各配合间隙积累值范围内。

检查数量:全数检查。

检验方法:用塞尺检查。

6.4.5 齿轮机座上盖与上齿轮轴轴承座上平面应接触严密,其局部间隙不应大于 0.05mm。

检查数量:全数检查。

检验方法:用塞尺检查。

6.4.6 联轴器装配时的两轴心径向位移、两轴线倾斜和联轴器的两端面间隙值,应符合随机技术文件或现行国家标准《机械设备安装工程施工及验收通用规范》GB 50231 的规定。

检查数量:抽查 30%,且不少于 1 套。

检验方法:检查装配记录,用百分表和塞尺旋转测量。

6.4.7 轧机主减速机安装的允许偏差应符合表 6.4.7 的规定。

检查数量:全数检查。

检验方法:见表 6.4.7。

表 6.4.7 轧机主减速机安装允许偏差

项次	项 目	允许偏差(mm) Ⅰ级	允许偏差(mm) Ⅱ级	检验方法
1	主减速机纵向中心线	0.3	0.5	挂线、尺量
2	主减速机横向中心线	0.5	1.0	挂线、尺量
3	主减速机标高	±0.30	±0.50	水准仪
4	主减速机纵向水平度	0.05/1000	0.10/1000	水平尺、水平仪
5	主减速机横向水平度	0.05/1000	0.10/1000	水平尺、水平仪

6.4.8 轧机齿轮机座安装的允许偏差应符合表 6.4.8 的规定。

检查数量：全数检查。

检验方法：见表 6.4.8。

表 6.4.8 轧机齿轮机座安装允许偏差

项次	项 目	允许偏差(mm) Ⅰ级	允许偏差(mm) Ⅱ级	检验方法
1	齿轮机座纵向中心线	0.3	0.5	挂线、尺量
2	齿轮机座横向中心线	0.5	1.0	挂线、尺量
3	齿轮机座标高	±0.30	±0.50	水准仪或水平尺、内径千分尺
4	齿轮机座纵向水平度	0.05/1000	0.10/1000	水平尺、水平仪
5	齿轮机座横向水平度	0.05/1000	0.10/1000	水平尺、水平仪

6.4.9 立式轧机下部传动装置安装的允许偏差应符合表 6.4.9 的规定。

检查数量：全数检查。

检验方法：见表 6.4.9。

表 6.4.9 立式轧机下部传动装置安装允许偏差

项次	项 目		允许偏差(mm) Ⅰ级	允许偏差(mm) Ⅱ级	检验方法
1	下部传动中心相对机列中心线的偏差		0.2	0.3	挂线、尺量
2	传动装置标高		±0.5	±1.0	水准仪或水平尺、内径千分尺
3	水平度	减速机纵向水平度	0.05/1000	0.10/1000	水平尺、水平仪
		减速机横向水平度	0.05/1000	0.10/1000	水平尺、水平仪

6.5 轧机换辊装置

Ⅰ 安 装

6.5.1 工作辊、支承辊换辊装置安装应在轧机机架安装调整结束,且机架已复查合格后进行。

6.5.2 换辊导轨的中心线应与机列中心线垂直,其水平度亦应符合要求。两换辊导轨上表面应在同一平面内,换辊装置导轨中心线应与轧机机内导轨中心线对中,接轨处顶面和内侧面应相互吻合,并应平滑过渡,导轨的固定件应牢固可靠。

Ⅱ 一 般 项 目

6.5.3 齿条式换辊装置安装的允许偏差应符合表6.5.3的规定。

检查数量:抽查30%,且对轨道检查不得少于6处,齿条垂直度检查不得少于8处,导轨间距检查不得少于4处。

检验方法:见表6.5.3。

表6.5.3 齿条式换辊装置安装允许偏差

项次	项 目	允许偏差(mm) Ⅰ级	允许偏差(mm) Ⅱ级	检验方法
1	导轨中心线相对机架中心线偏差	0.3	0.5	挂线、尺量
2	导轨标高与机架间标高差	0.1	0.15	水平尺、水平仪及塞尺或水准仪
3	同一横截面内导轨轨面高低差	0.2	0.3	水平尺、水平仪及塞尺或水准仪
4	导轨纵向水平度	0.5/1000	0.8/1000	水准仪
5	导轨轨距	±0.3	±0.5	样棒或内径千分尺
6	横移装置上的轨道与机内换辊轨道标高差	0.2	0.3	水平尺、塞尺
7	横移装置上的轨道与机内换辊轨道接头部高低差	0.1	0.15	水平尺、塞尺
8	导轮间距	0.0~0.2	0.0~0.3	内径千分尺
9	齿条垂直度	0.1/1000	0.2/1000	水平尺、水平仪
10	液压缸水平度	0.1/1000	0.2/1000	水平尺、水平仪
11	液压缸中心线偏移	0.3	0.5	挂线、尺量

6.5.4 液压缸横移式换辊装置安装的允许偏差应符合表6.5.4的规定。

检查数量:轨道抽查20%,且不得少于6处,滑道抽查30%,且不得少于10处,其他抽查30%。

检验方法:见表6.5.4。

表6.5.4 液压缸横移式换辊装置安装允许偏差

项次	项 目	允许偏差(mm) Ⅰ级	允许偏差(mm) Ⅱ级	检验方法
一	工作辊更换轨道			
1	轨道中心线相对机架中心线偏差	0.3	0.5	挂线、尺量
2	轨道标高	±0.3	±0.5	水准仪
3	同一横截面内两轨轨面高低差	0.2	0.3	水平尺、水平仪及塞尺或水准仪
4	轨道纵向水平度	0.5/1000	0.8/1000	水准仪
5	两轨轨距	±1.0	±1.5	样棒或内径千分尺
6	轨道与机内换辊轨道接头部高低差	0.10	0.15	水平尺、塞尺
二	支撑辊更换滑道			
7	滑道中心线相对机架中心线偏差	0.3	0.5	挂线、尺量
8	滑道上平面标高	±0.3	±0.5	水准仪
9	滑道纵向水平度	0.3/1000	0.5/1000	水平尺、水平仪
10	同一横截面内两滑道上平面高低差	0.2	0.3	水平尺、水平仪、塞尺或水准仪
11	两滑道的间距	±0.5	±1.0	样棒或内径千分尺
12	液压缸纵(横)向中心线	0.5	1.0	挂线、尺量
13	液压缸水平度	0.1/1000	0.2/1000	水平尺、水平仪

6.6 辊　　系

Ⅰ　安　　装

6.6.1 现场装配的轧辊轴承应检查配合表面的质量,按出厂时的装配标记装配安装;装配后检查间隙应符合随机技术文件的规定。

6.6.2 支承辊轴承座与机架窗口的间隙和工作辊轴承座与机架凸块之间间隙应符合随机技术文件的规定。

6.6.3 工作辊、支承辊、导向辊等装配应检查水平度和相互平行度。

Ⅱ　一 般 项 目

6.6.4 轧辊轴承座的水平度允许偏差应为 0.05/1000,两轴承座的相对标高允许偏差应为 0.30mm。

　　检查数量:全数检查。

　　检验方法:水准仪、水平仪检查。

6.6.5 热轧机的工作辊与支承辊、工作辊与前后导向辊的水平度和相互间的平行度允许偏差应为 0.05/1000,高速冷轧机、箔轧机平行度允许偏差应为 0.02/1000。

　　检查数量:全数检查。

　　检验方法:挂线、千分尺检查。

7 挤压设备

7.1 挤压机主机

Ⅰ 安 装

7.1.1 设备清洗时应将设备本体液压润滑系统的管接口、油孔清洗干净,接口应保护好。工作面应有防锈措施,各润滑部位应加足润滑油脂。

7.1.2 挤压机底座安装横向中心线,应以底座内侧加工面为基准进行测量,纵向中心线应以底座中心为基准进行测量。

7.1.3 底座找正、找平应经过横向、纵向、正反、交叉等不同方向、不同部位的测量,应避免偏差向一个方向形成累积偏差。挤压机底座标高偏差宜取正值。

7.1.4 挤压机安装应以固定梁为基准找正。

7.1.5 装配挤压机张力柱、主柱塞等部件时,起吊宜使用吊带缠绕。

7.1.6 在工作缸体就位找平后,应水平装配柱塞。

7.1.7 挤压机主体所有螺栓按设计要求最终紧固后,应再次检查主体各部件安装精度,并应符合随机技术文件的规定。

Ⅱ 主控项目

7.1.8 挤压筒、活动横梁的滑板与底座滑板之间的接触面和间隙应符合随机技术文件的规定。

检查数量:全数检查。

检查方法:塞尺检查。

Ⅲ 一般项目

7.1.9 挤压机底座安装的允许偏差应符合表 7.1.9 的规定。挤压机的底座找平找正,宜采用三点调整两块水平仪同时检测的方法(图 7.1.9)。

表 7.1.9 挤压机底座安装允许偏差

项次	项 目	允许偏差(mm)	检验方法
1	纵、横中心线	0.5	挂线、尺量
2	标高	±0.5	水准仪
3	纵、横水平度	0.05/1000	水平尺、水平仪

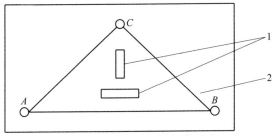

图 7.1.9 底板水平度调整示意
1—水平仪;2—底板;
A、B、C—表示底板下面垫铁或调整螺栓的位置

检查数量:全数检查。

检验方法:见表 7.1.9。

7.1.10 挤压机后梁安装的允许偏差应符合表 7.1.10 的规定。

检查数量:全数检查。

检验方法:见表 7.1.10。

表 7.1.10 挤压机后梁安装允许偏差

项次	项 目	允许偏差(mm)	检验方法
1	后梁与底座接触面局部间隙	0.1,且长度小于 100	塞尺
2	后梁垂直度	0.1/1000	吊线、内径千分尺
3	工作缸纵向水平度	0.1/1000	水平仪
4	主柱塞与导轨平行度	0.1/1000	V 形块、百分表
5	工作缸柱塞和回程缸柱塞中心线与机柱孔中心线平行度	1.0/1000	内径千分尺
6	回程缸支承面与横梁端面紧密接触最大间隙	0.05,且长度不大于 1/4 周长	塞尺

7.1.11 挤压机前梁安装的允许偏差应符合表 7.1.11 的规定。
　　检查数量：全数检查。
　　检验方法：见表 7.1.11。

表 7.1.11　挤压机前梁安装允许偏差

项次	项　目	允许偏差(mm)	检验方法
1	前梁与底座接触面局部间隙	0.1,且长度小于100	塞尺
2	前梁纵向水平度	0.1/1000	水平尺、水平仪
3	前、后梁端面平行度	0.10	内径千分尺
4	容室移动缸与挤压机中心线的平行度	0.15/1000	挂线、尺量
5	模架对挤压机的中心线垂直度	0.10/1000	吊线、内径千分尺

7.1.12 挤压筒、活动横梁、张力柱等部件安装的允许偏差应符合表 7.1.12 的规定。
　　检查数量：全数检查。
　　检验方法：见表 7.1.12。

表 7.1.12　挤压筒、活动横梁、张力柱等部件安装允许偏差

项次	项　目	允许偏差(mm)	检验方法
1	挤压轴与导轨平行度	0.1/1000	V形块、百分表
2	挤压轴水平度	0.1/1000	水平尺、水平仪
3	挤压轴与挤压筒同心度	0.1	内径千分尺
4	活动梁滑板与导板接触间隙	0.1,且长度不大于50	塞尺
5	挤压筒滑板与导板接触间隙	0.1,且长度不大于50	塞尺
6	张力柱垂直度	0.1/1000	经纬仪
7	挤压筒衬套与滑道的接触面积	>75%	着色
8	张力柱螺帽与横梁端面间隙	0.5	塞尺

7.2 挤压机辅机

Ⅰ 一般项目

7.2.1 供锭斜台架安装的允许偏差应符合表7.2.1的规定。

检查数量:全数检查。

检验方法:见表7.2.1。

表7.2.1 供锭斜台架安装允许偏差

项次	项 目	允许偏差(mm)	检验方法
1	纵、横中心线	2.0	挂线、尺量
2	标高	±2.0	水准仪
3	水平度	1.0/1000	水平尺、水平仪

7.2.2 制品移出装置安装的允许偏差应符合表7.2.2的规定。

检查数量:全数检查。

检验方法:见表7.2.2。

表7.2.2 制品移出装置安装允许偏差

项次	项 目	允许偏差(mm)	检验方法
1	纵、横中心线	2.0	挂线、尺量
2	标高	±2.0	水准仪
3	水平度	1.0/1000	水平尺、水平仪

7.2.3 残料移出装置安装的允许偏差应符合表7.2.3的规定。

检查数量:全数检查。

检验方法:见表7.2.3。

表7.2.3 残料移出装置安装允许偏差

项次	项 目	允许偏差(mm)	检验方法
1	纵、横中心线	2.0	挂线、尺量
2	标高	±2.0	水准仪
3	水平度	1.0/1000	水平尺、水平仪

7.2.4 定位装置与分离剪、垫溜槽安装的允许偏差应符合表7.2.4的规定。

检查数量：全数检查。

检验方法：见表7.2.4。

表7.2.4 定位装置与分离剪、垫溜槽安装允许偏差

项次	项 目	允许偏差（mm）	检验方法
1	纵、横中心线	2.0	挂线、尺量
2	标高	±2.0	水准仪
3	水平度	1.0/1000	水平尺、水平仪

7.2.5 牵引小车系统安装的允许偏差应符合表7.2.5的规定。

检查数量：全数检查。

检验方法：见表7.2.5。

表7.2.5 牵引小车系统安装允许偏差

项次	项 目	允许偏差（mm）	检验方法
1	纵、横中心线	2.0	挂线、尺量
2	标高	±2.0	水准仪
3	卷筒与挤压中心线垂直度	0.5/1000	挂线、尺量
4	卷筒水平度	0.5/1000	水平尺、水平仪
5	小车轨道水平度	1.0/1000	水平尺、水平仪

7.2.6 制品圆锯机安装的允许偏差应符合表7.2.6的规定。

检查数量：全数检查。

检验方法：见表7.2.6。

表7.2.6 制品圆锯机安装允许偏差

项次	项 目	允许偏差（mm）	检验方法
1	纵、横中心线	2.0	挂线、尺量
2	标高	±2.0	水准仪
3	水平度	1.0/1000	水平尺、水平仪
4	圆锯与挤压中心线垂直度	0.5/1000	挂线、尺量

8 精整设备

8.1 辊式薄板矫直机

Ⅰ 安 装

8.1.1 机列各设备对机列纵横中心线、标高、角度位置的偏差应符合随机技术文件的规定。

8.1.2 矫直机定位时,应以下排工作辊面为基准。

8.1.3 安装时,应检查矫直辊间的不平行度、辊径及辊的弯曲情况。

Ⅱ 主控项目

8.1.4 支承辊与工作辊应在辊身全长上接触。

检查数量:全数检查。

检验方法:塞尺、光照检查。

8.1.5 上、下工作辊在同一切面上开口度为零时,指示器的指针应对准刻度盘上的零位。

检查数量:全数检查。

检验方法:盘车观察。

8.1.6 升(降)限位开关,工作辊上升(下降)到设计停止点位置时,动作应停止。

检查数量:全数检查。

检验方法:反复试车检查。

Ⅲ 一般项目

8.1.7 辊式薄板矫直机安装的允许偏差应符合表8.1.7的规定。

检查数量:全数检查。

检验方法:见表8.1.7。

表 8.1.7 辊式薄板矫直机安装允许偏差

项次	项 目	允许偏差(mm)	检验方法
1	轨座中心线对矫直机前、后辊道中心线	0.5	经纬仪
2	轨座标高	±0.25	水准仪
3	轨座水平度	0.1/1000	水平尺、水平仪
4	机架纵、横中心线对前、后辊道中心线	0.5	经纬仪
5	机架水平度	0.1/1000	水平尺、水平仪
6	辊道与机座窗口下平面标高的相对偏差	0.5	水准仪
7	下工作辊在同一水平面上	0.4	水平尺、塞尺
8	上、下工作辊水平度	0.1/1000	水平尺、水平仪
9	支承辊与工作辊中心线平行度在全长上	0.05	塞尺
10	上、下工作辊(包括前、后导辊)在辊身全长范围内的平行度	0.1	塞尺

8.2 管材矫直机

Ⅰ 安 装

8.2.1 矫直机安装后,应以置于下辊面上的标准样棒为基准进行复查,固定辊应调整到同一角度,辊径与辊面应曲线一致、接触良好。

Ⅱ 主控项目

8.2.2 下辊安装后回转应轻便、无卡阻现象。
　　检查数量:全数检查。
　　检验方法:手动盘车检查。

8.2.3 上辊安装后,升降和调整角度应轻便、无卡阻现象。
　　检查数量:全数检查。
　　检验方法:手动盘车检查。

Ⅲ 一 般 项 目

8.2.4 管材矫直机安装的允许偏差应符合表 8.2.4 的规定。
检查数量:全数检查。
检验方法:见表 8.2.4。

表 8.2.4 管材矫直机安装允许偏差

项次	项 目	允许偏差(mm)	检验方法
1	"c"形座与上辊座、下辊座的贴合面局部间隙	0.10	塞尺
2	上辊座与下辊座镗孔中心线	0.5	挂线、尺量
3	机架水平度	0.1/1000	水平尺、水平仪
4	辊座中心线对轧制中心线	1.0	经纬仪
5	轧制中心线标高	±0.5	水准仪

8.3 拉弯矫直机

Ⅰ 安 装

8.3.1 机列各设备对机列纵横中心线、标高、角度位置的偏差应符合随机技术文件的规定。

8.3.2 矫直机上下机架两键槽装配时应配合制作。下机架四销孔应待辊系装配好后与下工作辊轴承座配合制作。

8.3.3 卷取机扇形块上的各平衡碟形弹簧组的预紧程度应一致。

8.3.4 机架装配时,在上下机架完全贴合后,各弯曲辊工作辊、展平辊工作辊、导向辊的水平度与平行度应符合随机技术文件的规定。

8.3.5 自由状态时,矫直单元的工作辊与中间辊、支承辊与中间辊均应接触均匀,接触间隙应符合随机技术文件的规定。

8.3.6 工作辊中心线应与底板止口侧面平行。

Ⅱ 一 般 项 目

8.3.7 拉弯矫直机组安装的允许偏差应符合表 8.3.7 的规定。
检查数量:全数检查。

检验方法:见表 8.3.7。

表 8.3.7 拉弯矫直机组安装允许偏差

项次	项　　目		允许偏差(mm)	检验方法
1	开卷、卷取机	标高	±0.5	水准仪
2		中心线	0.5	经纬仪
3		卷筒水平度	0.05/1000	水平尺、水平仪
4		卷筒与机列中心线垂直度	0.05/1000	挂线、尺量
5	对中检测装置探测中心与机列中心线偏差		0.5	挂线、尺量
6	入、出口张力辊组	水平度	0.05/1000	水平尺、水平仪
7		平行度	0.05/1000	挂线、尺量
8		标高	±0.5	水准仪
9		中心线	0.5	经纬仪
10	矫直单元各辊	水平度	0.05/1000	水平尺、水平仪
11		平行度	0.05/1000	挂线、尺量
12		标高	±0.5	水准仪
13		中心线	0.5	经纬仪
14	出口夹送剪切装置	水平度	0.05/1000	水平尺、水平仪
15		平行度	0.05/1000	挂线、尺量
16		标高	±0.5	水准仪
17	入、出口偏导辊	中心线	0.5	经纬仪
18		标高	±0.5	水准仪
19		相对机列中心线垂直度	0.05/1000	挂线、尺量
20		水平度	0.05/1000	水平尺、水平仪

8.4 分卷机、合卷机

一　般　项　目

8.4.1 分卷机、合卷机安装的允许偏差应符合表 8.4.1 的规定。
检查数量:全数检查。

检验方法:见表8.4.1。

表8.4.1 分卷机、合卷机安装允许偏差

项次	项目		允许偏差(mm)	检验方法
1	工作辊	中心线	0.5	经纬仪
2		标高	±0.5	水准仪
3		水平度	0.02/1000	水平尺、水平仪
4		与机列中心线垂直度	0.02/1000	摆杆法、经纬仪
5	其他单体设备中心线		0.5	经纬仪
6	其他单体设备标高		±0.5	水准仪

8.5 圆盘拉伸机

I 安 装

8.5.1 主体机架定位应以倒立盘中心和放卷压顶中心为基准,并应校正对角线长度。

8.5.2 收卷装置安装应符合下列规定:
 1 收卷装置水平度调整应以收卷导柱为基准;
 2 收卷动力装置垂直度调整应以倒立盘中心为基准;
 3 动力机座下降底部到位后,两侧上端面应与地平面水平。

8.5.3 放卷装置安装应符合下列规定:
 1 放卷装置水平度调整应以放卷导柱为基准;
 2 放卷动力装置垂直度调整应以放卷压顶中心为基准;
 3 动力机座下降底部到位后,两侧上端面应与地平面水平。

8.5.4 环形运输系统安装应符合下列规定:
 1 内轨、外轨、动力装置、备料台的纵、横中心线调整应以收、放卷中心为基准;
 2 环形运输系统动力链、运输链张紧度应适中,链条转动应灵活;
 3 空运转时,应检查小车中心与收卷、放卷中心的重合度。

8.5.5 压紧辊装置安装应符合下列规定:

1 压紧辊上端面距压料环下端面的距离应按随机技术文件的规定调整;

2 压紧辊角度调整应在下端外径紧贴倒立盘后进行,上端开口处的间隙应按随机技术文件的规定进行初调。

Ⅱ 一 般 项 目

8.5.6 圆盘拉伸机安装的允许偏差应符合表8.5.6的规定。

检查数量:全数检查。

检验方法:见表8.5.6。

表8.5.6 圆盘拉伸机安装允许偏差

项次	项 目	允许偏差(mm)	检验方法
1	中心线	0.5	经纬仪
2	标高	0.5	水准仪
3	安装基准面水平度	0.1/1000	水平尺、水平仪
4	收卷装置水平度	0.2/1000	经纬仪、水平尺
5	收卷动力装置垂直度	1.0	经纬仪、水平尺
6	放卷装置水平度	0.2/1000	经纬仪、水平尺
7	放卷动力装置垂直度	1.0	经纬仪、水平尺
8	小车中心与收卷、放卷中心的重合度	2.0	经纬仪、拉线、量尺
9	环形运输系统内、外轨道接缝不平度	1.0	尺量

8.6 清 洗 机

Ⅰ 安 装

8.6.1 各单体设备的中心线调整应以机组中心线为基准,并应调整各单体设备基准中心线的相互位置偏差。

Ⅱ 一 般 项 目

8.6.2 清洗机安装的允许偏差应符合表8.6.2的规定。

检查数量:全数检查。

检验方法:见表8.6.2。

表 8.6.2 清洗机安装允许偏差

项次	项 目		允许偏差(mm)	检验方法
1	各单体纵、横中心线		0.5	拉线、尺量
2	开卷机、卷取机	标高	±0.5	水准仪
3		卷筒水平度	0.05/1000	水平尺、水平仪
4		双柱(锥)头中心线同轴度	0.1	百分表
5		卷筒与机列中心线垂直度	0.05/1000	摆杆法、经纬仪
6	入、出口偏导辊组	标高	±0.5	水准仪
7		水平度	0.05/1000	水平尺、水平仪
8		与机列中心线垂直度	0.05/1000	摆杆法、经纬仪
9	清洗漂洗装置	标高	±0.5	水准仪
10		水平度	0.05/1000	水平尺、水平仪
11		固定辊与机列中心线垂直度	0.05/1000	摆杆法、经纬仪
12		升降辊压下位与机列中心线垂直度	0.05/1000	摆杆法、经纬仪
13		升降辊抬起位与机列中心线垂直度	0.20/1000	摆杆法、经纬仪
14	挤干辊	水平度	0.05/1000	水平尺、水平仪
15		与机列中心线垂直度	0.05/1000	摆杆法、经纬仪
16	熨平辊装置	水平度	0.05/1000	水平尺、水平仪
17		与机列中心线垂直度	0.05/1000	摆杆法、经纬仪

8.7 涂 层 机

Ⅰ 安 装

8.7.1 各单体设备的中心线调整应以机组中心线为基准,并应调整各单体设备基准中心线的相互位置偏差。

Ⅱ 一 般 项 目

8.7.2 涂层机安装的允许偏差应符合表 8.7.2 的规定。

检查数量:全数检查。

检验方法:见表 8.7.2。

表 8.7.2 涂层机安装允许偏差

项次	项目		允许偏差(mm)	检验方法
1	各单体纵、横中心线		0.5	挂线、尺量
2	开卷、卷取机	标高	±0.5	水准仪
3		卷筒水平度	0.1/1000	水准仪
4		卷筒与机列中心线垂直度	0.05/1000	摆杆法、经纬仪
5	入、出口夹送偏导辊	标高	±0.5	水准仪
6		水平度	0.05/1000	水平尺、水平仪
7		与机列中心线垂直度	0.05/1000	摆杆法、经纬仪
8	焊接装置	标高	±0.5	水准仪
9		水平度	0.2/1000	水平尺、水平仪
10		与机列中心线垂直度	0.2/1000	挂线、尺量
11	入、出口活套塔	标高	±0.5	水准仪
12		导向辊水平度	0.05/1000	水平尺、水平仪
13		辊组与机列中心线垂直度	0.05/1000	摆杆法、经纬仪
14		塔体立柱垂直度	0.5/1000,且不大于5.0	经纬仪或吊线尺量
15		塔体轨道垂直度	0.2/1000,且不大于2.0	经纬仪或吊线尺量
16		塔体轨道平行度	0.2/1000,且不大于2.0	经纬仪或吊线尺量
17	张力辊组	标高	±0.5	水准仪
18		水平度	0.05/1000	水平尺、水平仪
19		辊组与机列中心线垂直度	0.05/1000	摆杆法、经纬仪
20	挤干辊	标高	±0.5	水准仪
21		水平度	0.1/1000	水平尺、水平仪
22		与机列中心线垂直度	0.05/1000	摆杆法、经纬仪

续表 8.7.2

项次	项 目		允许偏差(mm)	检验方法
23	涂层机	标高	±0.5	水准仪
24		涂层辊水平度	0.1/1000	水平尺、水平仪
25		涂层辊与机列中心线垂直度	0.05/1000	摆杆法、经纬仪

9 开卷、卷取设备

9.1 主机设备

Ⅰ 安 装

9.1.1 开卷、卷取机安装应符合下列规定：

1 开卷、卷取机安装前应先完成上、卸卷小车的轨道安装；

2 废卷收集器安装前应先完成卷取机机架及夹送辊机架的安装；

3 开卷、卷取机传动部分安装完成后应对其联轴器进行安装复检。

9.1.2 安装底座应符合随机技术文件的规定，无规定时，底座调整应以滑动面为基准，测量底座的中心、标高及水平度。

9.1.3 设备主机安装时应以卷筒为测量基准。开卷机卷筒相对机组中心线的垂直度测量，应在卷筒悬臂端背离出料方向侧；卷取机卷筒相对机组中心线的垂直度测量，应在卷筒悬臂端背离来料方向侧。外置轴承架的定位应以卷筒为基准，无外置轴承架时，卷筒悬臂端应略高于固定端。

Ⅱ 一 般 项 目

9.1.4 卷取机卷筒中心线和卸卷车中心线在水平面内的投影应重合，其允许偏差为 1.0mm。

检查数量：全数检查。

检验方法：经纬仪检查。

9.1.5 热轧机、冷轧机的开卷、卷取机安装的允许偏差应符合表 9.1.5 的规定。

检查数量：全数检查。

检验方法：见表 9.1.5。

表9.1.5 热轧机、冷轧机开卷、卷取机安装允许偏差

项次	项目	允许偏差（mm）		检验方法
		Ⅰ级	Ⅱ级	
1	纵、横向中心线	0.5	1.0	挂线、尺量
2	标高	±0.30	±0.50	水准仪
3	水平度	0.05/1000	0.10/1000	水准仪
4	卷筒中心线与机组中心线的垂直度	0.10/1000	0.15/1000	挂线、摇臂、内径千分尺

注：Ⅰ级精度，卷取速度大于10m/s；Ⅱ级精度，卷取速度小于10m/s。

9.2 辅机设备

Ⅰ 安 装

9.2.1 助卷器、外置轴架架、压紧辊等辅助设备，均应以卷取机或开卷机的卷筒芯轴为安装基准。

Ⅱ 一般项目

9.2.2 开卷机和卷取机辅助设备安装的允许偏差应符合表9.2.2的规定。

检查数量：全数检查。

检验方法：见表9.2.2。

表9.2.2 开卷机和卷取机辅助设备安装允许偏差

项次	项目		允许偏差（mm）	检验方法
1	助卷器	纵、横向中心线偏移	1.0	挂线、尺量
2		标高	±1.0	水准仪、内径千分尺
3		水平度	0.1/1000	水平尺、水平仪
4	外置轴承架	纵向中心线偏移	1.0	挂线、尺量
5		横向中心线偏移	0.5	挂线、尺量
6		标高	±0.2	水准仪
7		轴承瓦口水平度	0.1/1000	水平尺、水平仪

续表 9.9.2

项次	项 目		允许偏差(mm)	检验方法
8	压紧辊、深弯辊、开卷刀	纵、横向中心线偏移	1.0	挂线、尺量
9		标高	±1.0	水准仪
10		水平度	0.2/1000	水平尺、水平仪

9.2.3 上卷小车、卸卷小车轨道安装的允许偏差应符合表 9.2.3 的规定。

检查数量:全数检查。

检验方法:见表 9.2.3。

表 9.2.3 上卷小车、卸卷小车轨道安装允许偏差

项次	项 目	允许偏差(mm)	检验方法
1	轨顶面标高	±0.50	挂线、尺量
2	轨道与小车中心线	0.50	水准仪
3	轨道小车纵向水平度	0.30	挂线、尺量
4	两侧轨道高低差	0.1/1000	水平尺、水平仪
5	轨道跨距	±0.3	尺量

10 退火、加热设备

10.1 退 火 炉

Ⅰ 安 装

10.1.1 箱式退火炉工艺钢结构安装宜从入口和出口向炉中安装。下层结构安装后,可安装下层炉壳。

10.1.2 退火炉工艺钢结构宜采用地面组装成片后整体吊装。

10.1.3 退火炉工艺钢结构下段的安装精度应符合设计技术文件的规定。中间段、上段钢结构安装的垂直度应符合设计技术文件的规定,上段结构及设备应能正确传递受力。

10.1.4 工艺钢结构主体结构安装完毕后应进行二次灌浆。

10.1.5 退火炉的行走平台,梯子栏杆的安装应随工艺钢结构主体安装逐层进行。

10.1.6 退火炉炉壳安装应符合下列规定:

1 宜按下段炉底室、中间炉室、上段炉顶室的顺序进行。

2 分段拼装和焊接应采取相应的防变形措施,并应对焊缝质量进行过程检测。

3 炉壳与钢构件之间的焊接应为连续焊。焊接前的在线拼装,炉壳的中心标志应在中心线上,在拼装炉壳侧板时,应将炉壳上的炉底辊轴孔对齐,并应用临时支撑进行加固,应防止拼装误差和焊接变形。管道的开孔应在炉体安装后进行。

4 炉壳受热后应能按设计技术文件规定的受热膨胀方向自由膨胀。

5 炉壳安装时应检查操作侧与传动侧炉辊密封法兰处中心高低差、与机组纵向中心线的垂直度,以及侧板不平度和垂直度。

6 炉顶盖应预安装合格后再进行耐火材料施工。

10.1.7 侧板安装应先安装炉喉,然后安装入口侧板和出口侧板,最后安装操作侧板和传动侧板。炉壳板安装应与调整同步,应在第一层侧板安装调整完后再安装第二层炉壳板。

10.1.8 炉子内衬板应在炉壳安装完毕并验收合格后再安装。保温钉焊接应先划线定位,内衬板保温钉位置偏差不应大于15mm。

10.1.9 辐射管安装应符合下列规定:

1 辐射管应在炉子内衬施工结束后安装。

2 辐射管从炉壳侧墙外部开口处伸入炉壳内,应在安装就位后对其进行位置精确调整,应留有使辐射管受热时有膨胀空间的余量。

3 辐射管吊装应使用随设备提供的专用吊具或自制平衡吊具,并应采取避免损伤辐射管的防护措施。

4 辐射管对中后,应用夹具夹紧,并应点焊后再焊接。

10.1.10 水平、垂直导流板安装应符合下列规定:

1 导流板吊挂支撑焊接应牢固,焊缝成型应美观;

2 导流板安装就位应平稳,就位时的水平度应符合设计技术文件的规定;

3 导流板吊挂杆安装完后应将双螺母头部用开口销锁止;

4 导流板压板安装应使用双螺母紧固。

10.1.11 炉辊安装应符合下列规定:

1 炉辊安装宜在炉体耐火材料及不锈钢内衬保护板施工完毕后进行,其安装应按编号一一对应;

2 安装时应调整炉辊的标高、水平度和相对于机组纵向中心线的垂直炉辊自由端轴承座与炉壳沿炉辊方向的预留偏移量;

3 炉辊吊装应使用专用吊具;

4 调整轴承的间隙应符合设计技术文件的规定。

10.1.12 退火炉气密性试验应符合下列规定：

1 炉子气密性试验应符合设计或随机技术文件的规定；

2 炉子气密性试验应包括炉体、与炉体连接的风管、供气管道的炉子本体段；

3 炉子气密性试验前应按设计技术文件的规定检查炉内设备、内衬板、炉体配管等是否已按设计要求施工完毕，并应验收合格；

4 有循环风管的炉子试验时，应与风管同时进行，并应在风机出入口的伸缩节处设置盲板，同时应封闭风管其他工艺孔；

5 在试验区域内的炉体上应设置临时供气管和测压装置，应做好试验前的供气准备和检测准备。

Ⅱ 主控项目

10.1.13 炉体烧嘴（加热器）安装位置应正确，与炉体连接应紧固到位，烧嘴进出应无卡阻。

检查数量：全数检查。

检验方法：观察检查、尺量。

10.1.14 退火炉气密性试验应符合设计技术文件的规定，并应检验合格。

检查数量：全数检查。

检验方法：检查试验报告。

Ⅲ 一般项目

10.1.15 炉体焊缝质量应符合设计技术文件的规定，当设计无要求时，宜按现行国家标准《钢结构工程施工质量验收规范》GB 50205的有关规定进行验收。

检查数量：全数检查。

检验方法：外观检查、无损检测报告。

10.1.16 炉体安装的允许偏差应符合表10.1.16的规定。

检查数量：全数检查。

检验方法：见表10.1.16。

表10.1.16 炉体安装允许偏差

项次	项 目	允许偏差(mm)	检验方法
1	炉底标高	±2.0	水准仪
2	炉底中心线与基础中心线	3.0	挂线、尺量
3	四侧炉墙垂直度	$H/1000$,且不大于3.0	挂线、尺量
4	炉壳对角线	±5.0	挂线、尺量
5	炉顶水平度	2.0/1000,且不大于5.0	水准仪
6	炉辊标高	±3.0	水准仪
7	炉辊纵、横向中心线	1.0	经纬仪、挂线
8	辊面水平度	0.1/1000	水平仪、水准仪、挂线
9	辊子与机组纵向中心线的垂直度	0.1/1000	经纬仪、摆杆法

注:H为炉子高度。

10.1.17 炉门导向轮安装应符合设计技术文件的规定,炉门提升应无卡阻。

检查数量:全数检查。

检验方法:盘动检查。

10.2 步进式加热炉

Ⅰ 安 装

10.2.1 炉底钢结构安装应符合下列规定:

1 炉底钢结构的安装应在两侧预埋板安装完成后进行。

2 炉底板的安装应符合设计技术文件的规定,底板与框架之间应只焊底板相邻两边,其余两边不应施焊。

10.2.2 炉墙和炉顶钢结构安装应符合下列规定:

1 侧墙钢结构安装时应先用螺栓与炉底钢结构连接,并应待调整定位好后再焊接;

2 炉墙结构宜与炉顶结构同时安装;

3 安装宜从入口端开始；

4 立柱间距尺寸应符合图纸要求，应减少积累误差，并应符合炉体砌筑的尺寸要求；

5 钢结构安装前应检查变形情况，如有变形时应处理后再安装。

10.2.3 加热炉烟道钢结构安装应符合下列规定：

1 烟道钢结构安装应在砌筑耐火材料施工前进行。

2 烟道钢结构安装宜按高温部分和低温部分分区进行，低温部分宜从烟囱端开始安装，高温部分宜从炉体端开始安装，耐火材料施工应在两部分烟道安装完毕后进行，应最后安装空气预热器。

10.2.4 空气预热器安装应符合下列规定：

1 预热器安装前应检查各处焊缝，有碰伤、变形或开裂等情况时，应修补后安装。

2 预热器安装好后，应按设计技术文件的规定，用耐火纤维塞紧缝隙。

10.2.5 烟道闸板安装应符合下列规定：

1 应先预装合格交筑炉专业进行表面衬料后，再进行安装；

2 安装过程中应采取防止碰坏衬料的措施；

3 闸板周围与烟道间隙应均匀，闸板应转动灵活。

10.2.6 装炉、出炉辊道安装应符合下列规定：

1 装炉辊道和出炉辊道安装应与主轧线的安装标高和中心线保持一致。

2 辊道的标高、横向水平度、纵向水平度调整均应以辊面为基准。

3 辊道应与轧制中心线垂直。每组辊道宜确定一个基准辊，基准辊应检测辊筒轴线与轧制中心线的垂直度，其余辊筒应测量与基准辊的平行度和与相邻两辊筒的平行度。

4 辊筒等的组装前应先将装料、出料机的抬升支承装置放到位；

5　装、出炉辊道的冷却水配管应在装料、出料机的抬升支承装置安装好后再进行安装。

10.2.7　长行程装料机的安装应按下列步骤进行：

　　1　行走装置和抬升装置的底座安装后，可暂不进行二次灌浆；

　　2　各连接轴安装、调整到位后，可安装装料杆；

　　3　装料杆安装后应进行调整，装料杆头的垫块应在同一平面上；

　　4　本条第1款～第3款完成后，行走装置和抬升装置底座可进行二次灌浆。

　　5　安装其他部件。

10.2.8　炉底机械安装应符合下列规定：

　　1　斜台面的二次灌浆应在找平、找正结束，放上提升框架，且各升降辊与斜台面接合正常后进行。

　　2　提升框架宜在地面组装合格后整体吊装。

　　3　提升导向装置和导向滚轮的安装应按下列步骤进行：

　　　　1）将提升导向的轨道装在提升框架上；

　　　　2）将提升导向装置的底座放在相应的基础上，用一个模块靠在升降框架的导向轨道上；

　　　　3）将导向滚轮座的固定孔定位；

　　　　4）调整底座。

　　4　提升传动装置的安装应按下列步骤进行：

　　　　1）将液压缸及支座安装就位并找正；

　　　　2）缩回液压缸活塞杆，放下提升框架并定位在斜台面的行程基位；

　　　　3）安装液压缸与提升框架的连接轴。

　　5　平移轨道的安装应按下列步骤进行：

　　　　1）安装平移框架。

　　　　2）安装平移轨道并进行调节，应使所有的平移轨道面处于同一水平面上。

　　3）将固定挡块焊牢在平移框架上。

　　6　平移导向装置和导向滚轮的安装,应先将平移导向装置的支架固定在平移框架上,并应在调整好间隙后将定位架焊牢在平移框架上。

　　7　平移传动装置的安装,应先将平移传动装置的底座放在基础上调整好水平度,并应在装上平移缸后再将缸杆的头部与平移框架连接。

10.2.9　平移框架安装应以活动滑道支承立柱底座中心线为基准,确定框架中心线,并应调整框架使平移框架与炉中心线重合。

10.2.10　水冲渣管各支架安装时应调整各支点的标高,应使水冲渣管的坡度符合设计要求。水冲渣管焊接后应进行清理,焊缝内表面应保持平滑。

10.2.11　加热炉安装完成后,各通水系统应按设计技术文件的规定进行系统水压试验。

10.2.12　加热炉的烧嘴(加热器)安装时应防止绝缘瓷环破裂;烧嘴与炉顶之间的间隙应用硅酸铝板密封;与炉顶连接紧固后,烧嘴应垂直。

Ⅱ　主　控　项　目

10.2.13　烧嘴(加热器)安装应位置正确,与炉体连接应紧固到位,烧嘴进出应无卡阻。

　　检查数量:全数检查。

　　检验方法:观察检查、尺量。

10.2.14　加热炉的各通水系统水压试验应符合设计技术文件的规定,并应检查合格。

　　检查数量:全数检查。

　　检验方法:检查试验记录。

Ⅲ　一　般　项　目

10.2.15　炉体焊缝质量应符合本规范第10.1.15条的规定。

10.2.16 炉体安装的允许偏差应符合表 10.2.16 的规定。

检查数量:全数检查。

检验方法:见表 10.2.16。

表 10.2.16 炉体安装允许偏差

项次	项 目	允许偏差(mm)	检验方法
1	炉底标高	±1.5	水准仪、尺量
2	炉底中心线与基础中心线	1.0	挂线、尺量
3	四侧炉墙垂直度	$H/1000$,且不大于 3.0	经纬仪、挂线
4	炉顶水平度	2/1000,且不大于 5.0	水准仪、尺量

注:H 为炉墙高度。

10.2.17 炉门导向轮安装应符合设计技术文件的规定,炉门提升应无卡阻。

检查数量:全数检查。

检验方法:盘动检查。

10.3 立推加热炉

Ⅰ 安 装

10.3.1 炉底钢结构安装应符合本规范第 10.2.1 条的规定。

10.3.2 炉墙和炉顶钢结构安装应符合本规范第 10.2.2 条的规定。

10.3.3 加热炉烟道钢结构安装应符合本规范第 10.2.3 条的规定。

10.3.4 空气预热器安装应符合本规范第 10.2.4 条的规定。

10.3.5 烟道闸板安装应符合本规范第 10.2.5 条的规定。

10.3.6 料垫返回小车和料垫水平移动小车的轨道及返回小车安装应符合下列规定:

    1 轨道与支撑架应用螺栓连接找正后焊接,轨道内侧焊缝应磨平。

    2 返回小车与轨道梁导轮安装,导向轮应运转灵活、无卡阻现象。

　　3 小车在自由状态下导向轮与轨道均应接触。

10.3.7 上料机构、立锭机、推料机构、料垫升降机、过渡支座、出料翻锭机、拉料机构的安装均应在炉体结构安装完毕后进行。

10.3.8 加热炉的烧嘴（加热器）安装时应防止绝缘瓷环破裂；烧嘴与炉顶之间的间隙应用硅酸铝板密封；与炉顶连接紧固后，烧嘴应垂直。

Ⅱ　主　控　项　目

10.3.9 烧嘴（加热器）安装应位置正确，与炉体连接应紧固到位，烧嘴进出应无卡阻。

　　检查数量：全数检查。

　　检验方法：观察检查、尺量。

Ⅲ　一　般　项　目

10.3.10 炉体焊缝质量应符合本规范第10.1.15条的规定。

10.3.11 炉体安装的允许偏差应符合表10.3.11的规定。

　　检查数量：全数检查。

　　检验方法：见表10.3.11。

表10.3.11　炉体安装允许偏差

项次	项　　目	允许偏差(mm)	检验方法
1	炉底标高	±1.5	水准仪、尺量
2	炉底中心线与基础中心线	1.0	挂线、尺量
3	四侧炉墙垂直度	$H/1000$，且不大于3.0	经纬仪、挂线
4	炉顶水平度	2.0/1000，且不大于5.0	水准仪、尺量

　　注：H为炉墙高度。

10.3.12 炉门导向轮安装应符合设计技术文件的规定，炉门提升应无卡阻。

　　检查数量：全数检查。

　　检验方法：盘动检查。

11 其他设备

11.1 轧机辅助设备

一 般 项 目

11.1.1 步进梁式移送机安装的允许偏差应符合表11.1.1的规定。

检查数量：全数检查。

检验方法：见表11.1.1。

表11.1.1 步进梁式移送机安装允许偏差

项次	项 目		允许偏差(mm)	检验方法
1	机架	中心线	1.0	挂线、尺量
2		标高	±1.0	水准仪
3		支柱垂直度	1.0/1000	挂线、尺量
4	移送小车轨道	标高	±1.0	水准仪
5		轨距	0,-1.0	尺量
6		纵向水平度	0.5/1000	水平尺、水平仪
7		同一横断面上两轨面水平度	0.5/1000	水平尺、水平仪
8	平移油缸底座	中心线	1.0	挂线、尺量
9		标高	±1.0	水准仪
10		水平度	0.20/1000	水平尺、水平仪

11.1.2 运输小车轨道安装的允许偏差应符合表11.1.2的规定。

检查数量：全数检查。

检验方法：见表11.1.2。

表11.1.2 运输小车轨道安装允许偏差

项次	项目	允许偏差(mm)	检验方法
1	轨道纵向中心线相对开卷机或卷取机中心线	1.0	挂线、尺量
2	轨道横向中心线相对机组纵向中心线	2.0	挂线、尺量
3	轨距	±0.5	尺量
4	轨道顶面标高	±0.50	水准仪
5	轨道顶面纵向水平度	0.2/1000	水平尺、水平仪
6	两轨道间轨道顶面横向水平度	0.2/1000	水平尺、水平仪
7	车挡同位性	1.0	挂线、尺量

11.1.3 翻转机安装的允许偏差应符合表11.1.3的规定。

检查数量:全数检查。

检验方法:见表11.1.3。

表11.1.3 翻转机安装允许偏差

项次	项目	允许偏差(mm)	检验方法
1	传动轴纵、横向中心线偏移	1.5	挂线、尺量
2	轴承座剖分面标高	±1.0	水准仪或水平尺、内径千分尺
3	单个轴承座剖分面水平度	0.15/1000	水平尺、水平仪
4	相邻两轴承座剖分面水平度	0.15/1000	水平尺、水平仪
5	轴承座瓦口同轴度	0.2	挂线、内径千分尺
6	减速机剖分面水平度	0.10/1000	水平尺、水平仪

11.1.4 轧机导板翻转机、轧辊翻转机安装的允许偏差应符合表11.1.4的规定。

检查数量:全数检查。

检验方法:见表11.1.4。

表 11.1.4 轧机导板翻转机、轧辊翻转机安装允许偏差

项次	项	目	允许偏差(mm)	检验方法
1	轧机导板翻转机	底座纵、横向中心线偏移	3.0	挂线、尺量
2		轴承座剖分面标高	±1.0	水准仪或水平尺、内径千分尺
3		单个轴承座剖分面水平度	0.3/1000	水平尺、水平仪
4		相邻两轴承座剖分面水平度	0.3/1000	水平尺、水平仪
5	轧辊翻转机	底座纵、横向中心线偏移	3.0	挂线、尺量
6		轴承座剖分面标高	±1.0	水准仪或水平尺、内径千分尺
7		单个轴承座剖分面水平度	0.15/1000	水平尺、水平仪
8		相邻两轴承座剖分面水平度	0.15/1000	水平尺、水平仪

11.1.5 链式运输机安装的允许偏差应符合表 11.1.5 的规定。

检查数量：全数检查。

检验方法：见表 11.1.5。

表 11.1.5 链式运输机安装允许偏差

项次	项	目	允许偏差(mm)	检验方法
1		运输机纵、横向中心线偏移	1.0	挂线、尺量
2	传动链装置	头尾链轮横向、轴向中心相对机组纵、横中心线的偏差	0.5	挂线、尺量
3		头尾链轮轴线相对机组纵向中心线的垂直度	0.50/1000	挂线、内径千分尺
4		链轮轴标高	±0.5	水准仪或水平尺、内径千分尺

续表11.1.5

项次	项 目		允许偏差(mm)	检验方法
5	传动链装置	链轮轴水平度	0.20/1000	水平尺、水平仪
6		支柱架中心线偏移	1.0	挂线、尺量
7		支柱架标高	±1.0	水准仪
8		滑轨轨面标高	±1.0	水准仪
9		滑轨轨距	±1.0	尺量
10		同一横断面上四条滑轨轨面高低差	0.5	水准仪
11		滑轨对运输机纵向中心线的对称度	1.0	挂线、尺量
12		减速机剖分面水平度	0.15/1000	水平尺、水平仪
13	移送链机架	上部滑轨轨面标高	±1.0	水准仪
14		同一横断面上滑轨轨面高低差	0.5	水平尺、水平仪、塞尺
15		滑轨轨距	±1.0	尺量
16		下部滑轨轨面标高	±2.0	水准仪
17		滑轨相对运输机纵向中心线的对称度	1.0	挂线、尺量
18		移送链的导向装置对运输机纵向中心线的偏移	0.5	挂线、尺量
19		移送链的张紧装置对运输机纵向中心线的偏移	0.5	挂线、尺量

11.2 运输辊道

一般项目

11.2.1 分体安装辊道的现场组装应符合下列规定：

1 机架接口、轴承座、横梁与底座的连接均应符合设计技术文件的规定。

2 螺栓应紧固好，调整垫板应整齐，螺母防松装置应牢固，各接口间隙应接触紧密。

检查数量：螺栓抽查10%，接口抽查2处。

检验方法：扳手试拧和塞尺测量。

11.2.2 成套传动辊道安装的允许偏差应符合表11.2.2的规定。

检查数量：全数检查。

检验方法：见表11.2.2。

表11.2.2 成套传动辊道安装允许偏差

项次	项 目		允许偏差(mm)		检验方法
			Ⅰ级	Ⅱ级	
1	中心线偏移	根据中心线安装	1.0	1.5	挂线、尺量
2		根据已安设备安装	0.5	1.0	挂线、尺量
3	标高	根据基准点安装	±0.50	±1.0	水准仪
4		根据已安设备安装	±0.25	±0.5	水准仪
5	机架对辊道纵向中心线的平行度		0.15/1000，0.3/全长	0.30/1000，0.4/全长	挂线、尺量
6	辊道顶面基准点的对角线差		0.5	0.5	衡力指示器、尺量
7	辊道顶面水平度		0.15/1000	0.20/1000	水平尺、水平仪
8	基准辊轴线对辊道纵向中心线的垂直度		0.10/1000	0.15/1000	挂线、内径千分尺

续表11.2.2

项次	项目	允许偏差(mm) Ⅰ级	允许偏差(mm) Ⅱ级	检验方法
9	相邻两辊的平行度	0.30/1000	0.30/1000	挂线、尺量
10	辊子平行度累计误差	0.60/1000	0.60/1000	挂线、尺量
11	减速箱、分配箱水平度	0.10/1000	0.15/1000	水平尺、水平仪

注：Ⅰ级精度适用于轧机前后工作辊道及有导向装置的辊道，Ⅱ级精度适用于一般输运辊道。

11.2.3 一般单独传动辊道安装的允许偏差应符合表11.2.3的规定。

检查数量：全数检查。

检验方法：见表11.2.3。

表11.2.3 一般单独传动辊道安装允许偏差

项次	项目		允许偏差(mm) Ⅰ级	允许偏差(mm) Ⅱ级	检验方法
1	辊道纵向中心线	单独布置设备	—	2.0	挂线、尺量
2	辊道纵向中心线	与其他设备有机械衔接关系者	0.50	1.00	挂线、尺量
3	辊道横向中心线	单独布置设备	—	2.00	挂线、尺量
4	辊道横向中心线	与其他设备有机械衔接关系者	0.50	1.00	挂线、尺量
5	辊道机架顶面标高		±0.30	±1.00	水平尺、水准仪
6	辊子及传动装置	基准辊轴线对纵向中心线垂直度	0.10/1000	0.20/1000	挂线、内径千分尺
7	辊子及传动装置	相邻辊子平行度	0.10/1000	0.40/1000	挂线、内径千分尺

续表 11.2.3

项次	项目		允许偏差(mm)		检验方法
			Ⅰ级	Ⅱ级	
8	辊子及传动装置	辊子平行度累计误差	1.00/每组	1.50/每组	挂线、尺量
9		直辊面辊子轴向水平度	0.10/1000	0.20/1000	水平尺、水平仪
10		V形辊子端面水平度	—	0.30/1000	水平尺、水平仪
11		辊子间辊面高差	0.20	0.60	水平尺或垫块、水准仪
12		传动箱剖分面水平度	0.1/1000	0.15/1000	水平尺、水平仪

注：Ⅰ级精度适用于板材运输辊道，Ⅱ级精度适用于管材、线材、棒材运输辊道。

11.2.4 精整机列的升降装置和移动装置安装的允许偏差应符合表 11.2.4 的规定。

检查数量：全数检查。

检验方法：见表 11.2.4。

表 11.2.4 精整机列升降装置和移动装置安装允许偏差

项次	项目		允许偏差(mm)	检验方法
1	升降装置	主轴中心线偏移	1.0	挂线、尺量
2		各支座中心标高	±1.0	水准仪
3		各支座中心距离	±1.0	尺量
4		主轴水平度	0.10/1000	水平尺、水平仪
5		主轴相对机组纵向中心线垂直度	0.15/1000	挂线、内径千分尺
6		主轴瓦口同轴度	0.15	挂线、内径千分尺
7		导向滑板垂直度	1.0/全长	挂线、尺量
8		升降油缸底座水平度	0.20/1000	水平尺、水平仪
9		升降油缸底座标高	±0.5	水准仪

续表 11.2.4

项次	项 目		允许偏差(mm)	检验方法
10	移动装置	底座水平度	0.10/1000	水平尺、水平仪
11		底座轨面标高	0.0，-1.0	水准仪
12		同一横断面两轨面高低差	0.5	尺量
13		轨道纵、横向中心线偏移	1.0	挂线、尺量
14		驱动侧轨道侧面对轨道中心平行度	1.0/全长	挂线、尺量
15		轨距	±0.5	尺量
16		驱动侧轨道直线度	0.30/1000	挂线、尺量
17		传动轴与升降装置主轴中心距	±1.0	挂线、尺量
18		减速机中心与辊道中心距	±1.0	挂线、尺量
19		减速机水平度	0.10/1000	水平尺、水平仪

11.3 铡 刀 剪

Ⅰ 安 装

11.3.1 上切式剪切机的标高应以下剪刃横梁上平面或下剪刃上平面为基准，水平度应以机架窗口为基准，纵向中心线应以机架上刀架端部滑板中心线为基准，横向中心线应以镗孔或瓦座中心的连线为基准。

11.3.2 下切式剪切机的标高应以上剪刃下平面或上横梁下平面为基准，水平度应以机架窗口为基准，纵向中心线应以机架中心为基准，横向中心线应以机架两镗孔中心连线为基准。下切式剪切机安装中心线、标高应以生产线的主机为主要参照。

11.3.3 设备各部件之间的间隙调整应符合随机技术文件的规定。

Ⅱ 一 般 项 目

11.3.4 上切式剪切机安装的允许偏差应符合表 11.3.4 的规定。

检查数量：全数检查。

检验方法：见表 11.3.4。

表 11.3.4 上切式铡刀剪切机安装允许偏差

项次	项 目		允许偏差(mm)	检验方法
1	中心线		0.5	经纬仪
2	标高		±0.5	水准仪
3	水平度		0.1/1000	水平尺、水平仪
4	机架两侧镗孔中心相对偏差		0.1/1000	挂线、千分尺
5	同一组剪刃间缝隙		0.5	塞尺
6	同一组剪刃间高度		0.1	塞尺
7	同一组剪刃间侧面		0.05	千分尺
8	飞轮轮缘径向跳动	飞轮直径≤1000mm	0.1	百分表
9		飞轮直径>1000mm	0.15	百分表
10	飞轮轮缘端面跳动	飞轮直径≤1000mm	0.2	百分表
11		飞轮直径>1000mm	0.3	百分表

11.3.5 下切式铡刀剪切机安装的允许偏差应符合表11.3.5的规定。

检查数量:全数检查。

检验方法:见表11.3.5。

表 11.3.5 下切式铡刀剪切机安装允许偏差

项次	项 目	允许偏差(mm)	检验方法
1	中心线	0.5	经纬仪
2	标高	±0.25	水准仪
3	水平度	0.1/1000	水平尺、水平仪

11.4 圆 盘 剪

Ⅰ 安 装

11.4.1 圆盘剪安装标高,应以工作辊道上表面为基准,纵向中心应以辊道中心线为基准,横向中心(传动中心)应以下圆盘剪刃传动中心为基准。

11.4.2 设备纵横中心线、标高、角度位置的偏差应符合随机技术文件的规定。

11.4.3 机架移动装置装配时,丝杠的三个支点应调整在同一直线上,应使圆盘剪本体在丝杠上移动能灵活自如。同时调整丝杆螺母的位置,应使剪切面相对机架平分。

11.4.4 设备各部件之间的间隙调整应符合随机技术文件的规定。

Ⅱ 一 般 项 目

11.4.5 机座与滑板的侧间隙应为0.2mm~0.4mm。

检查数量:全数检查。

检验方法:用塞尺每侧各测量5处。

11.4.6 圆盘剪安装的允许偏差应符合表11.4.6的规定。

检查数量:全数检查。

检验方法:见表11.4.6。

表11.4.6 圆盘剪安装允许偏差

项次	项 目	允许偏差(mm)	检验方法
1	纵、横中心线	0.5	经纬仪
2	底座标高	±0.5	水准仪
3	减速机底座及其剖分面水平度	0.1/1000	水平尺、水平仪
4	底座上平面水平度	0.1/1000	水平尺、水平仪
5	滑板接头高低差	0.2	深度游标卡尺
6	两台主减速机相对标高	±0.5	水准仪
7	两台主减速机中心线	0.5	经纬仪
8	长轴水平度	0.1/1000	水平尺、水平仪
9	主传动减速机传动中心线与机座中心线平行度	0.5	经纬仪
10	机座水平度	0.1/1000	水平尺、水平仪
11	调节螺母中心线与滑座中心线	0.2	经纬仪

注:圆盘剪底座标高应以滑板上平面为基准,其标高相对基准点为辊道上平面。

11.5 碎 边 剪

Ⅰ 安 装

11.5.1 底座标高测量应以滑板上平面为基准。

11.5.2 设备各部件之间的间隙调整应达到随机技术文件和本规范的规定。

Ⅱ 一 般 项 目

11.5.3 机座与滑板的侧间隙应为 0.2mm~0.4mm。

检查数量:全数检查。

检验方法:用塞尺每侧各测量 5 处。

11.5.4 碎边剪安装的允许偏差应符合表 11.5.4 的规定。

检查数量:全数检查。

检验方法:见表 11.5.4。

表 11.5.4 碎边剪安装允许偏差

项次	项 目	允许偏差(mm)	检验方法
1	调节螺母中心线与滑座中心线	0.2	经纬仪
2	纵、横向中心线	0.5	经纬仪
3	底座与辊道上平面标高偏差	±0.5	水准仪
4	减速机底座剖分面水平度	0.1/1000	水平尺、水平仪
5	底座上平面水平度	0.1/1000	水平尺、水平仪
6	滑板接头高低差	0.2	深度游标卡尺
7	长轴水平度	0.1/1000	水平尺、水平仪
8	主传动减速机的传动中心线与机座中心线平行度	0.5	经纬仪

11.6 废边卷取机

Ⅰ 安 装

11.6.1 设备纵、横向中心线,标高,角度位置的偏差应符合随机技术文件的规定。

11.6.2 设备各部件之间的间隙调整应符合随机技术文件的规定。

Ⅱ 一 般 项 目

11.6.3 废边卷取机安装的允许偏差应符合表11.6.3的规定。

检查数量：全数检查。

检验方法：见表11.6.3。

表11.6.3 废边卷取机安装允许偏差

项次	项　　目	允许偏差(mm)	检验方法
1	标高	±1.0	水准仪
2	纵、横向中心线	1.0	挂线、尺量
3	中心线与机列中心线的平行度	1.0/1000	水平尺、水平仪
4	卷轴中心线与压辊中心线的平行度	0.2/1000	水平尺、水平仪
5	卷轴移动油缸中心线与底座滑道上平面的平行度	0.5/1000	水平尺、水平仪

11.7 计量包装设备

Ⅰ 一 般 项 目

11.7.1 压实机、打包机、打捆机、电子秤等设备安装的允许偏差应符合表11.7.1的规定。

检查数量：全数检查。

检验方法：见表11.7.1。

表11.7.1 压实机、打包机、打捆机、电子秤等设备安装允许偏差

项次	项　　目	允许偏差(mm)	检验方法
1	中心线与整条生产线的中心线偏移	1.0	经纬仪或挂线、尺量
2	中心线与整条生产线中心线的垂直度	0.2/1000	经纬仪
3	标高	±2.0	水准仪
4	纵、横向水平度	0.2/1000	水平仪、水平尺

12 无负荷试运行

12.1 一般规定

12.1.1 无负荷试运行前应编制试运行方案,并应经审批和交底。无负荷试运行应按试运行方案进行。

12.1.2 设备本体、附属装置等应施工完毕并经检验合格,且应记录齐全。润滑、液压、气动、冷却、电气、自控、消防等系统应满足无负荷试运行的需要。

12.1.3 无负荷试运行所需的能源、介质、材料、工机具和检测仪器等应符合试运行的要求。设备运转前应检查各润滑部分,并应按随机技术文件的规定加足润滑油(脂)。

12.1.4 无负荷试运行区应清扫干净,并应设置安全警戒区和警示牌。

12.1.5 设备单体无负荷试运行和联动无负荷试运行时间,应按设备随机技术文件和设计技术文件的规定执行。

12.1.6 设备单体无负荷试运行和联动无负荷试运行应做好运行记录。

12.1.7 无负荷试运行结束前,润滑、液压、气动、冷却、电气、自控、消防等系统不得中断运行,无负荷试运行结束后,应切断电源和其他动力源,并应进行放气、排水、卸压。

12.1.8 设备安全保护装置必须符合设计和随机技术文件的规定。设备安全保护装置的调试和参数整定必须在无负荷试运行中完成。

12.1.9 设备无负荷试运行时,轴承的温升与最高温度应符合随机技术文件的规定。无规定时,滚动轴承的温升不应超过40℃,且最高温度不应超过80℃;滑动轴承的温升不应超过35℃,且最高温度不应超过70℃。

12.2 主要设备试运行

12.2.1 铸轧机组无负荷试运行应符合随机技术文件的规定,无规定时应符合下列规定:

1 应无负荷连续试运行1h。

2 轴承及其他转动部位应无异常噪声、振动及撞击声。

3 各传动、转动部位应运转灵活、无卡阻现象,各液压气动元件应灵敏可靠。

4 电机的电压、电流及温升值应在规定范围内。

5 设备各紧固部位应无松动、脱落。

12.2.2 轧机主机列设备无负荷试运行应符合设备随机技术文件的规定,无规定时应符合下列规定:

1 设备无负荷试运行前,液压系统应先单独调试,油缸的行程、速度应符合随机技术文件的规定。

2 设备的安全防护设施必须齐全、可靠,限位开关动作应准确无误。

3 各种离合器及制动装置应灵敏可靠。

4 低速压下装置、高速压下装置应全行程往返动作5次~10次。

5 主传动电机应空载无负荷试运行30min,电动机带减速机应无负荷试运行30min,电动机带减速机、齿轮机座应无负荷试运行30min。电动机带减速机、齿轮机座和轧机应按最高工作转速的25%、50%、75%、100%,分别无负荷试运行各1h。可逆式轧机应按最高工作转速的25%、50%、75%、100%,分别无负荷正、反转试运行各30min,时间总共应为4h。

6 换辊装置应由其主体设备带动往返运转5次~10次,行程和速度应符合设计技术文件的规定。

7 在运转中,传动部件转动应灵活、平稳,应无异常声响和卡阻现象。

8 紧固件、连接件不得松动。

9 参加区域或机组的联动无负荷试运行,按设计技术文件规定的联运程序连续操作 3 次应无故障。每次不应超过 30min。

12.2.3 开卷机、卷取机无负荷试运行应符合设备随机技术文件的规定,无规定时应符合下列规定:

1 卷筒胀缩液压缸与机体移动液压缸应分别动作 5 次～10 次,液压缸动作的行程速度应符合设计技术文件的规定;

2 卷筒应连续运转 2h～4h,其减速机内齿啮合应良好,应无异常声响;

3 弓形块和扇形块卷筒无负荷试运行时,应在卷筒上放置安全套圈;

4 限位开关动作 5 次～10 次应准确、可靠、灵活;

5 无负荷试运行过程中,各紧固件、连接件不得有松动。

12.2.4 开卷机和卷取机辅助设备的无负荷试运行应符合随机技术文件的规定,无规定时应符合下列规定:

1 设备上的液压缸、气动缸动作试验 5 次～10 次,其行程速度应符合设计技术文件的规定;

2 开卷机的动作应灵活、无卡阻现象,升降尺寸应符合设计技术文件的规定;

3 压紧辊动作应平稳,转动应灵活,升降尺寸应符合设计技术文件的规定;

4 助卷器移动应灵活,与卷取机的卷筒接触应紧密、均匀;

5 活动支撑往返转动应灵活,接触卷筒的轴承间隙应符合设计技术文件的规定,且四周应均匀,应在保持卷筒水平度允许偏差范围内的情况下,向上抬 0.1mm～0.15mm;

6 各限位开关应动作试验 5 次～10 次,应准确、可靠、灵活;

7 无负荷试运行过程中,各紧固件、连接件不得松动。

12.2.5 上卷、卸卷小车无负荷试运行应符合随机技术文件的规定,无规定时应符合下列规定：

1 上卷和卸卷小车单体无负荷试运行,应在液压系统调试正常后进行；

2 升降装置、行走机构或平稳装置应在全行程范围内往返 5 次～10 次,各部应动作平稳无异常声响,行走应无卡轨和爬行现象；

3 各部动作速度和行程应符合设计技术文件的规定；

4 限位开关试运行应动作准确、灵敏可靠。

12.2.6 矫直机设备无负荷试运行应符合随机技术文件的规定,无规定时应符合下列规定：

1 检查往复运动的设备时,液压、气动驱动的设备或机构应在全行程或回转范围内动作 8 次～10 次；动作应符合设计技术文件的规定；运动应平稳、无卡阻撞击现象。

2 连续运转设备应连续无负荷试运行 2h～4h。

3 联运试车期间,各联锁装置应动作准确、灵活、可靠。

4 无负荷试运行中应检查各紧固件、连接部件的紧固情况,并应及时处理任何松动问题。

5 设备的安全防护设施应齐备、可靠,并应能正常发挥作用。

12.2.7 挤压机主机无负荷试运行应符合随机技术文件的规定,如无规定时应符合下列规定：

1 各个缸应单独往返运动 10 次以上,运动应灵活平稳,行程、速度应符合设计技术文件的规定。

2 联动试车期间,各联锁装置应动作准确、灵活、可靠。信号数据应传送准确。

3 无负荷试运行中,应检查各紧固件、连接部件,不得有松动,传动部件应运转灵活、平稳,并应无异常声响和卡阻现象。

4 设备的安全防护设施应齐备、可靠,并应能正常发挥作用。

12.2.8 挤压机辅助设备无负荷试运行应符合随机技术文件的规定,无规定时应符合下列规定：

1 各运动部件应单独往返运动10次以上,运动应灵活、平稳,行程、速度应符合设计技术文件的规定。

2 牵引小车机构运行应平稳,并应无异常声响,高低速转换应正常可靠,与前梁锯之间的联锁应准确可靠。

3 前梁锯、中断锯,锯片转动应平稳,并应无异常噪声,机构动作应准确。

4 冷床机构运动应平稳,各部件同步动作应符合设计技术文件的规定。

5 各部位的联锁装置动作应灵活可靠。

6 无负荷试运行中应检查各紧固件和连接部件,不得有松动。传动部件运转应灵活,并应无卡阻现象。

7 设备的安全防护设施应齐备、可靠,并应能正常发挥作用。

12.2.9 剪切机无负荷试运行应符合随机技术文件的规定,无规定时应符合下列规定:

1 剪切机的离合器应开闭灵活,无卡阻现象。纵剪机架锁紧机构应可靠,更换、移动机构动作应平稳。

2 减速器的齿啮合应正常,运转应无异常杂音。

3 平衡装置应准确可靠,并应满足平衡要求。

4 剪刃间隙应符合剪切机技术要求;下刀架(或滑块)在规定行程速度范围内,不应有爬行、停滞、振动或明显冲击现象。

5 滑板与轴承箱配合间隙应符合设计技术文件的规定,滑移面应润滑良好、工作正常;剪刃调整机构应满足最大、最小重合度的要求;运转应平稳、灵活。

6 移行丝杠应平直,不应弯曲;移行机构不得有卡滞现象,移行机构应灵活无阻。

12.2.10 辊道无负荷试运行应符合随机技术文件的规定,无规定时应符合下列规定:

1 辊道的单体无负荷试运行应正、反转各连续运行2h。

2 变速辊道,应按低、中、高速各运行0.5h~1h;并应按设计技术文件的规定进行加、减速试验。

3 辊道的升降、平移装置应在全行程或回转范围内往返 5 次~10 次。行程、速度应符合设计技术文件的规定。

4 在运转过程中,各部动作应平稳,并应无异常声响和卡碰现象。

5 制动器、限位开关动作应准确、灵活可靠。

6 各部分紧固件、连接件不得有松动。

7 参加区域或机组的联动无负荷试运行,应按设计技术文件规定的联动程序连续操作运转 3 次,并应无故障。

12.3 质量验收

主控项目

12.3.1 设备的单体无负荷试运行应符合随机技术文件的规定。

检查数量:全数检查。

检验方法:检查单体无负荷试运行资料。

12.3.2 设备的联动无负荷试运行应符合设计和随机技术文件的规定。

检查数量:全数检查。

检验方法:检查联动无负荷试运行资料。

本规范用词说明

1 为便于在执行本规范条文时区别对待,对要求严格程度不同的用词说明如下:

1)表示很严格,非这样做不可的:
正面词采用"必须",反面词采用"严禁";

2)表示严格,在正常情况下均应这样做的:
正面词采用"应",反面词采用"不应"或"不得";

3)表示允许稍有选择,在条件许可时首先应这样做的:
正面词采用"宜",反面词采用"不宜";

4)表示有选择,在一定条件下可以这样做的,采用"可"。

2 条文中指明应按其他有关标准执行的写法为:"应符合……的规定"或"应按……执行"。

引用标准名录

《钢结构工程施工质量验收规范》GB 50205
《机械设备安装工程施工及验收通用规范》GB 50231
《现场设备、工业管道焊接工程施工规范》GB 50236
《冶金机械液压、润滑和气动设备工程安装验收规范》GB 50387
《有色金属工业安装工程质量验收统一标准》GB 50654
《现场设备、工业管道焊接工程施工质量验收规范》GB 50683

中华人民共和国国家标准

有色金属加工机械安装工程
施工与质量验收规范

GB 51059-2014

条文说明

制 订 说 明

《有色金属加工机械安装工程施工与质量验收规范》GB 51059—2014,经住房和城乡建设部 2014 年 12 月 2 日以第 624 号公告批准发布。

本规范制订过程中,编制组进行了多方面的调查研究,总结了我国有色金属加工机械安装工程施工与质量验收方面的实践经验,同时参考了国家现行有关标准规范、国内外先进的技术标准。

为了便于广大设计、施工、科研、学校等单位有关人员在使用本规范时能正确理解和执行条文规定,《有色金属加工机械安装工程施工与质量验收规范》编制组按章、节、条顺序编制了本规范的条文说明,对条文规定的目的、依据以及执行中需注意的有关事项进行了说明(还着重对强制性条文的强制性理由作了解释)。但是,本条文说明不具备与规范正文同等的法律效力,仅供使用者作为理解和把握规范规定的参考。

目　　次

1 总　　则 …………………………………………………… (85)
2 基本规定 …………………………………………………… (86)
3 设备基础、地脚螺栓和垫板 ……………………………… (88)
　3.1 安装 ……………………………………………………… (88)
　3.2 质量验收 ………………………………………………… (88)
4 设备和材料进场 …………………………………………… (89)
　4.1 一般规定 ………………………………………………… (89)
　4.2 设备进场验收 …………………………………………… (89)
　4.3 材料进场验收 …………………………………………… (89)
5 熔铸设备 …………………………………………………… (90)
　5.1 倾动式熔炼炉 …………………………………………… (90)
　5.2 竖炉 ……………………………………………………… (91)
　5.3 感应炉 …………………………………………………… (91)
　5.4 倾动式保温炉 …………………………………………… (92)
6 轧机主机列设备 …………………………………………… (93)
　6.1 轧机底座 ………………………………………………… (93)
　6.2 轧机机架 ………………………………………………… (94)
　6.3 轧辊调整装置 …………………………………………… (94)
　6.4 轧机主传动装置 ………………………………………… (94)
　6.5 轧机换辊装置 …………………………………………… (95)
　6.6 辊系 ……………………………………………………… (95)
7 挤压设备 …………………………………………………… (96)
　7.1 挤压机主机 ……………………………………………… (96)
9 开卷、卷取设备 …………………………………………… (97)

9.2　辅机设备 …………………………………………… (97)
10　退火、加热设备 ……………………………………… (98)
　10.1　退火炉 …………………………………………… (98)
　10.2　步进式加热炉 …………………………………… (99)
12　无负荷试运行 ………………………………………… (100)
　12.1　一般规定 ………………………………………… (100)
　12.3　质量验收 ………………………………………… (100)

1 总　　则

1.0.3 有色金属加工机械设备从国外引进的较多,按随机技术文件的规定施工尤为重要。

1.0.4 本条反映了其他相关标准、规范的作用。如:施工尚应符合现行国家标准《机械设备安装工程施工及验收通用规范》GB 50231等的有关规定,质量验收尚应符合现行国家标准《有色金属工业安装工程质量验收统一标准》GB 50654等的规定,安全环保方面尚应符合国家现行有关标准的规定等。

2 基本规定

2.0.1 规定施工现场有相关的施工图纸、施工技术标准、随机技术文件、施工组织设计和施工方案等技术文件是为给施工人员配齐施工图纸和施工技术文件,指导施工;建立健全的质量管理体系从管理体系和制度上保证工程质量。

2.0.2 有色金属加工设备多为成套生产线,在线设备安装精度要求较高,本条规定了安装与质量验收过程中使用的计量器具的相关要求。

2.0.3 自检、交接检和专检是施工质量检查的主要内容,是控制产品质量的重要方法。

2.0.5 本条为强制性条文。设备无负荷试运行是设备安装工程有别于建筑工程和其他工业安装工程的主要特点。设备安装完毕后应通过设备无负荷试运行这个环节来检验设备的性能和安装质量,未进行无负荷试运行的设备和无负荷试运行不合格的设备如果直接投入生产运行,其安全质量隐患将会直接影响生产,威胁生产安全。

2.0.6 制订本条规定的目的是为了使本规范与现行国家标准《有色金属工业安装工程质量验收统一标准》GB 50654 协调一致。

2.0.7 焊接是有色金属加工机械设备施工和质量验收的重要环节。本条规定是为了与现行国家标准《现场设备、工业管道焊接工程施工规范》GB 50236 和《现场设备、工业管道焊接工程施工质量验收规范》GB 50683 协调一致。现行国家标准《现场设备、工业管道焊接工程施工规范》GB 50236 和《现场设备、工业管道焊接工程施工质量验收规范》GB 50683 已对焊接工程的施工和质量验收规范作出了详细的规定。

2.0.8 本条规定是为了与现行国家标准《有色金属工业安装工程质量验收统一标准》GB 50654 协调一致。现行国家标准《有色金属工业安装工程质量验收统一标准》GB 50654 对工程质量验收的程序、组织和记录填写作出了详细的规定。

2.0.10 本条为强制性条文。不符合设计和质量标准要求,且经返修或返工处理后仍不能满足安全使用功能的工程产品,如投入使用,其存在的安全质量隐患必然会影响或威胁人民生命财产安全、人身健康和环境保护等。

2.0.13 本条为强制性条文。"危险性较大的工程"是指《危险性较大的分部分项工程安全管理办法》(建质〔2009〕87号)界定的"在施工过程中存在的、可能导致作业人员群死群伤或造成重大不良社会影响的工程"。本条强调施工必须按安全专项施工方案实施,是为进一步规范和加强对危险性较大工程的安全管理,积极防范和遏制建筑施工生产安全事故的发生。

3 设备基础、地脚螺栓和垫板

3.1 安　　装

3.1.1 设备基础系建筑工程,设备基础的施工单位应按现行国家标准验收合格后,向设备安装单位进行中间交接,设备安装单位应会同监理、设计单位复验合格后,方可进行设备安装。

3.1.2 有色金属加工机械设备之间互有连接、衔接关系或组成连续生产线,中心标板及标高基准点为它们之间的共同的安装基准线。埋设永久中心标板及标高基准点,使施工和维修有可靠的基准。

3.1.3 设备基础按设计设置沉降观测点,能反映设备基础的准确沉降情况,便于施工和生产过程中进行沉降观测。在安装过程中进行基础沉降观测,可及时反馈沉降信息,避免因沉降原因造成质量问题。

3.1.4 本条根据现行国家标准《机械设备安装工程施工及验收通用规范》GB 50231—2009 中第 2.1.3 条制订。

3.1.6 合理设置设备垫铁将有利于设备基础有效、安全地承受荷载及荷载在基础上的合理分布,从而保证设备安全运行。

3.2 质 量 验 收

Ⅰ 主 控 项 目

3.2.2 埋设永久性中心标板和标高基准点是设备安装过程中进行测量控制的需要,也是日后设备维修时进行测量控制的需要。

3.2.3 地脚螺栓在设备运行时承受冲击力,涉及设备安全运行。

4 设备和材料进场

4.1 一 般 规 定

4.1.1 编制设备和材料进场计划便于组织设备和材料供应,按时进场方可保证施工进度,有序进场便于现场总平面管理。

4.1.2 设备安装前开箱检验是将设备向施工单位进行交接的过程,能确认设备完整情况。

4.1.3 材料进场验收是材料管理的主要内容,可避免不合格的材料应用到工程上。

4.1.4 材料分类标识、整齐码放有利于现场总平面管理和材料领用,避免因错用或混用而引起质量问题。

4.1.5 本条规定是为了防止损伤设备和材料。

4.2 设备进场验收

Ⅰ 主 控 项 目

4.2.1 本条规定是为了确认设备的完整性和符合性,保证工程质量和施工进度。

Ⅱ 一 般 项 目

4.2.3 通过对设备的包装箱及裸装设备的外观检查,可判断设备发运后是否受损。

4.3 材料进场验收

Ⅰ 主 控 项 目

4.3.1 控制工程材料质量是保证产品质量的重要措施。

4.3.2 一般标准或设计中规定必须进行复验的材料主要是现场制造、安装设备本体时用到的钢材、螺栓、焊接材料、混凝土用料和涂料等。

5 熔铸设备

5.1 倾动式熔炼炉

Ⅰ 安 装

5.1.2 本条对炉体钢结构安装作出规定。

1 炉墙与出料口部件、烧嘴、排烟管法兰、测温测压元件等装配的贴合面在制造过程中易发生变形和螺栓孔错位现象,造成后续这些部件安装或今后检修更换部件的困难,本条强调在炉墙结构正式组装前对这些部位进行检验,发现问题可及时处理。

2 强调安装控制点对炉子后续砌筑工序和炉子后续正常生产起到决定性作用,因此在炉体结构焊接前应检验合格,否则应予以校正。

5.1.5 燃烧系统管路一般设置有自动点火系统及火焰检测及监控系统、过滤装置、流量计量装置、恒压恒流装置,加压减压装置和安全阀等,这些装置安装正确与否直接影响炉子正常、安全运行,必须严格按设计和产品说明书的要求进行安装。

5.1.6 烟道闸板在行程范围内的动作灵活可靠有利于生产状态下的炉压控制和燃烧系统节能。

Ⅱ 主控项目

5.1.7 炉体钢结构现场拼装的对接焊缝主要是炉墙部件之间的焊缝、炉墙与炉底和炉顶之间的焊缝,这些焊缝的施工质量对保证炉体强度和外形尺寸至关重要,因此本条强调其质量不应低于焊缝质量分级Ⅱ级的要求。

5.1.8 烧嘴或喷嘴的位置和倾角设计时主要考虑了有利于向熔池传热,降低熔体烧损,故需严格控制其安装位置,确保达到生产工艺的要求。

5.2 竖 炉

Ⅰ 安 装

5.2.1 竖炉设备整体尺寸较大,安装高度高,一般分段制作,在其周围平台结构施工前进行安装,便于控制炉体垂直度。采用倒装法安装则需在炉子四周平台结构上设置提升支撑点,组装自上而下进行,难以保证炉体垂直度与基础定位基准线之间的偏差,施工安全性较差。

5.2.2 冷却水套部件在安装前进行水压试验是为了检验设备在运输、转运环节是否受损。在砌筑完后再次进行水压试验是为了检验设备在安装过程中是否因吊装、调整等受损,以及管路系统与水套部件的连接是否正确、可靠。

5.2.3 一般竖炉设备为分段供货,平面位置及标高重点应在第一节控制,以上各节位置、标高以严格控制出厂的制造尺寸为主。

Ⅱ 主控项目

5.2.8 竖炉燃烧烧嘴安装角度、位置直接影响炉子工作时的加热效果,应严格按设计要求进行施工和检验,烧嘴在工作时,有一定的冲击荷载,其螺栓连接应为检查重点,确保不松动脱落。

5.3 感 应 炉

Ⅰ 安 装

5.3.1 本条提出了电磁有芯感应炉核心部件感应体安装应控制的质量要点。感应体组装应保证熔沟、线圈、铁芯、水冷套对中尺寸偏差符合随机技术文件规定,装配时应避免任何与线圈垂直平面的电磁感应回路出现,减少发热及能源损失。除此之外,应注意有芯式感应器熔沟的安装及耐火材料的打筑,耐火材料与外壳间伸缩隔热层的铺设施工相互配合。采取降低烘炉烧嘴及感应体耐火材料的温度降低速度的措施,以利于防止对接面耐火材料发生局部变形、开裂。

5.3.2 为了保证线圈与炉体中心线的同心度,需控制线圈外沿与炉壳内壁的距离。一般是上口与底部各测量 4 个方向的距离,8 个点进行对中控制,并注意保证垂直度。

5.3.3 线圈、水冷套为感应炉核心部件,在安装前和耐火材料打筑后进行水压试验,这两次试压是保证运输、转运、打筑、安装过程中不受损,确保运行安全、可靠。

Ⅱ 主 控 项 目

5.3.4 因感应体的电磁感应作用,本体有一定振动,部件安装尺寸是否准确直接影响到使用寿命及安全。

5.3.5 磁轭按照随机技术文件规定的扭矩紧固,能够有效控制电磁振动,降低噪声,延长线圈使用寿命。扭矩大小一般与线圈尺寸、材质、与磁轭接触面积有关。

5.4 倾动式保温炉

Ⅰ 安 装

5.4.1 倾动式保温炉按形状一般分为矩形和圆形两种结构,其构造特点与熔炼炉相似。

Ⅱ 一 般 项 目

5.4.2 倾动式保温炉是带传动装置的动设备,虽然炉体结构特点上与熔炼炉类似,但对其炉体尺寸控制要求应从严,以避免炉体与周围结构在运转过程中发生碰撞,故本条规定的允许偏差比熔炼炉安装允许偏差的要求高。

6 轧机主机列设备

6.1 轧机底座

Ⅰ 安 装

6.1.1 对于多机架连轧机的安装,无论是轧机底座,还是轧机机架的安装都首先从中间一台轧机开始,其标高和水平皆以此为基准,顺序安装相邻轧机,这样能有效地控制安装的积累误差。底座标高值应根据轧机的动静荷载,选择略高于设计标程的正标高值,以弥补因机架地脚螺栓二次紧固时造成的下降误差。安装入口侧底座时,按两底座间设计尺寸放大 1.0mm～1.5mm,以便于机架安装之用,机架就位后再将入口侧底座向出口侧靠紧。测量各点水平度时,应该使用同一组测量仪器。

6.1.2 以底座的垂直加工面定位轧机底座的中心位置便于控制底座部件之间的平行度,在机架安装后也便于复查检测,但在此之前需检查该垂直加工面与上平面的垂直度,这一指标应由底座机械加工给予保证。

6.1.3 根据众多生产经验,轧机机架的某些定位精度项目对轧制产品的质量影响更为重要,为了确保机架的安装精度,可能要进行底座的二次调整,甚至要发生牺牲底座的某些精度项目的现象来抵消设备制造误差,故此底座地脚螺栓的紧固应在机架精密调整后进行。紧固过程一般是先达到地脚螺栓紧固力设计值的 70%～80%,二次灌浆达到强度后,进行终拧。轧机地脚螺栓终拧完后一般需在螺栓头部焊一个保护罩,以防止轧制油通过地脚螺栓渗入基础。

Ⅲ 一 般 项 目

6.1.5 本条是依据现行国家标准《轧机机械设备工程安装验收规

范》GB 50386 制订的。

6.2 轧机机架

Ⅱ 主控项目

6.2.4 本条是依据现行国家标准《轧机机械设备工程安装验收规范》GB 50386 和现行行业标准《有色金属加工设备安装工程质量检验评定标准》YS/T 5425 及有色金属加工轧机的随机文件制订的。

Ⅲ 一般项目

6.2.6 本条是依据现行国家标准《轧机机械设备工程安装验收规范》GB 50386 制订的。

6.2.7 轧辊组各组滑板相对主传动中心线的偏移,可用调整窗口滑板厚度来满足设计要求。常用在滑板后面加调整垫片方法来修正偏移量,这种做法对窗口滑板在生产中不均匀磨损后的维修更有利。

在机架窗口垂直度达到要求精度后,复查窗口下底面的水平度和两机架窗口底面的相对高差值。如水平度仍超差,可与设备制造厂协商,刮研窗口底面以达到要求。

6.3 轧辊调整装置

Ⅰ 安 装

6.3.1 本条是依据现行国家标准《轧机机械设备安装规范》GB/T 50744 制订的。

6.4 轧机主传动装置

Ⅱ 一般项目

6.4.3~6.4.6、6.4.8、6.4.9 依据现行国家标准《轧机机械设备工程安装验收规范》GB 50386 制订的,还参考了现行行业标准《有色金属加工设备安装工程质量检验评定标准》YS/T 5425 和有色金属加工的轧机的随机文件。

6.5 轧机换辊装置

Ⅰ 安 装

6.5.1 换辊装置有液压传动和机械传动,其安装基准,包括标高、中心线、水平度和平行度等均以相对应的轧机机架为基准,故其安装应在机架安装调整后进行。

6.5.2 更换工作辊的轨道安装和更换支承辊的滑道安装,主要保证中心线、水平及相互高差,对于用齿条传动的换辊装置,无论是安装轨道、底板、齿条下部的埋设件和挡轮,还是安装轨道和齿条,以采用间距规、尺寸规等样板安装为好,尤其是固定在混凝土上的埋设件,安装时要预先控制好精度,或者是埋设件暂不浇灌混凝土,待轨道和齿条安装调整好后再进行灌浆,方可保证质量和进度。

6.6 辊 系

Ⅱ 一 般 项 目

6.6.4 如标高不在允许误差范围内,可在轴承座与底座的接合面之间垫薄垫片来处理。

7 挤压设备

7.1 挤压机主机

Ⅰ 安 装

7.1.2 以底座内侧加工面定位挤压机底座的中心位置便于控制底座部件之间的平行度,在前后梁安装后也便于复查检测。

7.1.3 通过多个部位的测量可以减小测量误差,同时对多个尺寸偏差进行分析,综合考虑设备调整量,使误差分布比较均匀。考虑到基础沉降,所以挤压机底座标高偏差宜取正值。

7.1.6 工作缸缸体与柱塞配合间隙非常小,所以在装配柱塞时,柱塞的吊装应水平,以便于装配,可使用精度足够的框式水平仪在柱塞的正上方测量,使吊装水平度控制在要求以内,并可通过微调缠绕带的位置距离来实现。

Ⅲ 一般项目

7.1.9 图7.1.9所表示的底板水平度调整方法具体步骤有三点:
（1）先调整等腰三角形底边位置A、B处的调整螺栓或垫铁,调整横向水平仪水平;
（2）调整位置C处的调整螺栓或垫铁,调整纵向水平仪水平;
（3）检测两块水平仪的水平,以同样的方法微调,即可快速找平找正设备底板。

7.1.11 挤压机前、后梁由张力柱连接,而张力柱为挤压筒和移动梁等工作部件提供运行支撑,运行部件的导向定位通过张力柱来完成,因此为了保证成品的质量,前、后梁的安装精度至关重要。为保证前、后梁的标高差测量精确,防止仪器的突然性误差对测量的影响,需要保证测量仪器在合格的状态下测量,采用同时间段内三点三次测量法,在三次测量数值相差不大的情况下取平均值。

9 开卷、卷取设备

9.2 辅机设备

Ⅰ 安 装

9.2.1 助卷器、外置轴承架、压紧辊等辅助设备,均以卷取机或开卷机的卷筒芯轴为基准安装。调整时可以采用临时液压装置或机械方法使助卷器、外置轴承架、压紧辊等设备动作,调整其与卷取机和开卷机的卷筒芯轴的相对位置。

10 退火、加热设备

10.1 退 火 炉

Ⅰ 安　　装

10.1.1 退火炉工艺钢结构安装从入口和出口向炉中安装,将安装误差消除在炉中,保证了安装质量。

10.1.2 采用地面组装成片后整体吊装,是为了最大限度地减少高空作业。

10.1.8 内衬板安装的首道工序是在炉侧板上进行保温钉的焊接工作,不论是直接焊接保温钉还是先焊接保温钉的螺母,均应将保温钉拧入螺母后再进行焊接,焊接完成后都要进行质量检查,这是筑炉保温层施工的关键工序,应严格控制。不锈钢内衬板安装完毕后,内衬板外侧螺母拧紧后进行点焊。焊完后要及时将焊接药皮除去,每一个保温钉焊接牢固,以避免在今后的生产过程中脱落而影响退火产品的质量。安装内衬板要求目测保温材料不外露,炉内衬板施工应从上往下安装,先从四角开始,然后安装与四角相连接的两侧的内衬板。安装时下部内衬板应重叠在上部内衬板上,放入垫片拧紧螺母,将螺母与螺杆点焊牢固。

10.1.11 退火炉炉辊表面一般涂有耐热材料,采用专用吊具吊装炉辊一是便于装配,二是为保护其表面不受损。炉辊轴承的间隙调整,主要考虑炉壳的受热膨胀影响。调整时可以辊子装入时测得的轴承原始状态的间隙为初始值,然后将轴承锁紧帽拧紧,测得最小值后再松开轴承锁紧帽,然后调整测量轴承间隙达到设计要求的数值为止。

10.1.12 退火炉气密性试验一般可按单台炉子单独试验的方法进行,也可分段同时进行试验。试验的范围根据其工艺设备的配置和生产工艺确定,沿着物料行走的方向一般包括入口密封、喷气预热段、加热段、均热段、缓冷段、快冷段、时效段、终冷段、出口密封等设备,为气密性试验范围。分段进行气密性试验的炉子,应根据每个试验区段的大小设置相应数量的测压装置和供气管,但测压装置应保证炉底室和炉顶室各设置一套,供气管应设置在炉底室本体的管道接头上或本体检测仪器的接口上。气密性试验前炉体配管的检查,包括所有与炉体连接的管道、加热元件、辐射管、各种工艺孔盖等是否按照设计要求安装完毕,并检查合格。

10.2 步进式加热炉

Ⅰ 安 装

10.2.2 炉墙结构与炉顶结构同时安装,有利于炉室结构的稳固。安装时从入口端开始,便于炉顶热风管道的尽早安装,缩短工期。

10.2.6 冷却水配管处于辊道内部,配管过程中极易与装、出料机的抬升支承装置相碰,往往需要根据实际进行修改。故装、出炉辊道的冷却水配管应在装、出料机的抬升支承装置安装好后再进行安装。

12 无负荷试运行

12.1 一般规定

12.1.1～12.1.7 设备无负荷试运行是设备施工的重要环节,对设备无负荷试运行作出这几条规定是为了保证设备无负荷试运行的安全进行。

12.1.8 本条为强制性条文。设备设计安全保护装置包括制动装置、限位保护装置、安全阀、电气及自控报警联锁装置等,是用来保证设备安全运行的,必须在试运行时完成调试和按设计要求进行参数整定,方能保证设备在负荷试运行和生产时的运行安全,保障人民生命财产安全、人身健康和环境保护等。

12.3 质量验收

主控项目

12.3.1、12.3.2 现行国家标准《有色金属工业安装工程质量验收统一标准》GB 50654—2011 中第 3.0.3 条规定设备的试运行应作为主控项目进行检验。